L'HERBE BLEUE

L'HERBE BLEUE

Journal d'une jeune fille de 15 ans

Traduit de l'américain
par France-Marie Watkins

PRESSES DE LA CITÉ

Titre original :
GO ASK ALICE

Loi n° 49-956 du 16 juillet 1949 sur les publications
destinées à la jeunesse : juin 2003.

Préface de l'éditeur

Elle pourrait s'appeler Alice. Elle croyait avoir trouvé son pays des merveilles.

D'elle, vous ne connaîtrez ni nom ni visage, pourtant vous allez pénétrer au plus secret de sa courte vie. C'est au jour le jour que se découvre Alice : choisissons donc de l'appeler ainsi, puisqu'elle se reconnaît elle-même dans le personnage de Lewis Carroll et que le titre original de ce récit – *Go ask Alice* (« Va, demande à Alice ») – nous invite à la suivre, sur le refrain d'une chanson de Jefferson Airplane qui va devenir le motif obsédant de sa dérive.

Au départ, c'est une petite fille comme les autres à la fin des *sixties*, quelque part dans cette Amérique « profonde » où les journées se ressemblent et où les adolescents flirtent en toute innocence, tandis qu'en Californie se réunissent des milliers de hippies. Entre les *trips* (voyages) au L.S.D. et les concerts de musique « psychédélique », la jeunesse américaine croit se libérer en célébrant l'avènement du « Peace and Love » (Paix et Amour).

Rien de plus simple et de plus « cadré » que la vie d'Alice : un père professeur, une mère aimante, un petit frère et une petite sœur sympathiques.

Mais un soir de juillet, tout bascule. À son insu, Alice, invitée par des camarades de classe, goûte à la drogue : elle ne savait pas que « dans dix des quatorze verres de Coca il y avait eu du L.S.D. ». Désormais, Alice brûle les étapes d'un voyage dans ce que Baudelaire nommait « les paradis artificiels » : incapable d'échapper à la spirale infernale, elle passe de « l'acide » à « l'herbe », de l'exaltation la plus débridée à l'abattement le plus sombre.

Alice appartient à cette génération qui a cru pouvoir « tout détruire pour repartir de zéro pour avoir un pays neuf, un nouvel amour, la paix et le partage » (17 décembre). De pauvres enfants perdus que la drogue a rendu fous et que les adultes ont enfermés dans des asiles psychiatriques, comme Babbie, déjà toxicomane et prostituée à douze ans. Il ne leur reste qu'un seul espoir au fond du cœur : rentrer chez eux.

Le journal d'Alice est le compte rendu minutieux et poignant d'une chute inexorable : « Je crois que je suis tombée de la surface de la terre et que je n'arrêterai jamais de tomber. » (22 juillet)

« Ainsi, quand le Lapin Blanc s'en fut en courant, Alice voulut voir ce qui lui arriverait : elle courut donc derrière lui, et elle courut, courut tant et si bien qu'elle tomba tout droit dans le terrier du Lapin.

« Et elle fit alors une très longue chute, tombant, tombant, tombant au point qu'elle se demandait si elle n'était pas en train de traverser le Monde, et si elle n'allait pas ressortir de l'autre côté ! » (Lewis Carroll, *Alice au Pays des Merveilles*).

Trois semaines après avoir écrit la dernière ligne de son journal, Alice est ressortie *de l'autre côté du miroir.*

Une chronique bouleversante sur l'enfer de la drogue.

Go Ask Alice est le journal intime d'une jeune droguée de quinze ans.

Cet ouvrage ne prétend pas décrire le monde de la drogue chez les jeunes. Il n'apporte aucune solution à ce problème.

Cependant, c'est une chronique personnelle, spécifique qui, en tant que telle, permettra peut-être de comprendre un peu cet univers de plus en plus compliqué dans lequel nous vivons.

Les noms, les dates, les lieux et certains événements ont été changés, selon le désir de toutes les personnes mêlées à ce récit.

PREMIER CAHIER

16 septembre.

Hier, je me croyais la personne la plus heureuse de la terre, de toute la galaxie, de toute la création. Était-ce hier seulement, ou bien à des millions d'années-lumière ? Je pensais que jamais l'herbe n'avait eu d'odeur aussi verte, que le ciel n'avait jamais été aussi haut. Et maintenant tout s'est écroulé et je voudrais me fondre dans le néant stupide de l'univers et cesser d'exister. Mais pourquoi, pourquoi ne le puis-je ? Comment pourrai-je affronter Sharon et Debbie et les copains ? Comment ? Toute l'école est au courant, à présent, j'en suis sûre ! Hier, j'ai acheté ce cahier, mon journal intime, en pensant que j'avais à raconter quelque chose de si merveilleux, de si formidable et de si personnel, que je serais incapable d'en parler à quelqu'un ; seulement à moi-même. Et voilà que, comme tout le reste, comme tout ce qui m'arrive, ce n'est plus qu'un gros tas de rien.

Je ne comprends vraiment pas comment Roger a pu me faire une chose pareille alors que je l'aime depuis toujours et que j'ai attendu toute ma vie qu'il daigne s'apercevoir de mon existence. Hier, quand il m'a demandé de sortir avec lui, j'ai cru que j'allais mourir de bonheur. Vraiment ! Et maintenant, le monde entier est froid et gris et insensible et ma mère me casse les pieds pour que je nettoie et que je range ma chambre. Comment peut-elle me demander de faire du rangement alors que j'ai envie de mourir ? Je n'ai donc pas le droit de rester seule dans l'intimité de mon âme ?

Cher journal, il faut que tu attendes jusqu'à demain, sans quoi je vais devoir subir un long sermon sur mon attitude et ma puérilité.

À bientôt.

17 septembre.

L'école a été un cauchemar. J'avais peur de rencontrer Roger à chaque tournant des couloirs et en même temps j'étais folle d'inquiétude à l'idée de ne pas le voir. Je me répétais sans cesse : « Il est peut-être arrivé quelque chose et il me l'expliquera. » À déjeuner, j'ai bien dû dire aux filles qu'il n'était pas venu au rendez-vous. J'ai fait semblant de m'en moquer mais, ah ! cher journal ! J'en suis malade ! Je me sens brisée. Je ne comprends pas comment je suis encore capable de parler, de sourire, d'étudier, de marcher, alors que je suis si malheureuse, gênée et humiliée ! Comment Roger a-t-il pu me faire ça ? Je ne voudrais faire de peine à personne au monde. Jamais je ne pourrai blesser quelqu'un, physiquement ou moralement, alors comment les gens peuvent-ils me faire tant de mal ? Même mes parents me traitent comme une idiote, comme une inférieure, une enfant attardée ! Je suppose que je les déçois, qu'ils espéraient autre chose de moi. En tout cas, je ne suis pas du tout ce que j'aurais espéré être moi-même.

19 septembre.

Anniversaire de papa. Pas grand-chose.

20 septembre.

Mon anniversaire. J'ai quinze ans. Rien.

25 septembre.

Cher journal,
Je n'ai rien écrit depuis une semaine parce qu'il ne m'est rien arrivé d'intéressant. Toujours les mêmes vieux profs idiots qui enseignent les mêmes sujets stupides dans la même école assommante. Je me désintéresse de tout, je crois. Au début, je pensais que le lycée serait chouette mais c'est la barbe. Tout m'ennuie. C'est peut-être parce que je grandis, alors je deviens blasée. Julie Brown a donné une surboum mais je n'y suis pas allée. Je suis grosse, laide, informe, grotesque, j'ai pris quatre kilos et je n'ai plus rien à me mettre, je n'entre plus dans mes robes. Je commence à me sentir vraiment moche.

30 septembre.

Grandes nouvelles, cher journal ! Nous déménageons ! Papa a été nommé à une chaire de sciences po. à S. Fantastique ! La vie va peut-être recommencer comme lorsque j'étais plus jeune. Papa ira peut-être de nouveau enseigner en Europe tous les étés et nous l'accompagnerons, comme avant. Ah ! que ce serait plaisant ! C'était le bon temps ! Je me mets au régime, à partir d'aujourd'hui. Je serai quelqu'un d'autre, tout à fait, quand nous nous installerons dans notre nouvelle maison. Plus une bouchée de chocolat, plus une frite, plus un gâteau tant que je n'aurai pas perdu cinq kilos de graisse répugnante. Et je vais renouveler totalement ma garde-robe. Et au diable le ridicule Roger ! Entre nous, cher journal, j'ai toujours le cœur gros. Je l'aimerai toujours, sans doute, mais peut-être, avant que nous partions et quand je serai mince, que j'aurai la peau fraîche, un teint de lis et de roses, et des robes élégantes comme un mannequin de modes, il me donnera un autre rendez-vous. Devrai-je refuser ? Ou lui poser un lapin ? Ou bien... vais-je faiblir et accepter, comme je le crains ?

Je t'en supplie, cher journal, aide-moi à être forte, résolue. Aide-moi à faire ma gymnastique tous les matins et tous les soirs, rappelle-moi de me démaquiller, de me nettoyer la peau, et de ne pas trop manger, et d'être optimiste, charmante et gaie ! J'aimerais tant être une personne importante, ou même seulement être invitée par un garçon de temps en temps ! Mon nouveau moi sera peut-être différent.

10 octobre.

Cher journal,

J'ai perdu trois livres et nous préparons notre départ. Notre maison a été mise en vente et papa et maman sont allés à S. pour en visiter une. Je suis restée ici avec Tim et Alexandria et, ça va t'étonner, ils ne m'embêtent même pas ! Nous sommes tous énervés, très excités par le déménagement, et ils font tout ce que je leur dis, ils m'aident au ménage et à la cuisine et tout... enfin presque. Je pense que papa ira prendre sa chaire au milieu du trimestre. Il est aussi excité qu'un petit garçon et c'est un peu comme autrefois. Assis autour de la table, nous plaisantons, nous faisons mille projets. C'est formidable ! Tim et Alex veulent à toute force emporter tous leurs jouets et leurs souvenirs. Personnellement, je voudrais avoir des affaires neuves, changer de tout complètement, et ne garder que mes livres, bien sûr, puisqu'ils font partie de ma vie. Quand j'ai été renversée par une voiture à dix ans, et que je suis restée si longtemps dans le plâtre, je serais morte sans eux. Aujourd'hui encore, je ne sais pas si certains de mes souvenirs sont réels ou si ce sont des choses que j'ai lues dans des livres. Mais quand même... c'est formidable ! La vie est chouette, merveilleuse, passionnante et j'ai hâte de voir ce qu'il y a au coin de la rue et aux coins de toutes les autres.

16 octobre.

Papa et maman sont rentrés aujourd'hui. Hourra, nous avons une maison ! C'est une grande vieille maison de style espagnol que maman adore. J'ai hâte de la voir ! Je ne peux pas attendre de déménager ! Je ne peux pas attendre ! Ils ont pris des photos, que nous aurons dans trois ou quatre jours. J'ai hâte, hâte de les voir, je ne peux pas attendre... mais j'ai dû déjà le dire un million de fois !

17 octobre.

Même l'école me passionne à nouveau. J'ai eu un A en algèbre, et tout le reste des A et des B. L'algèbre, c'est le pire, alors si je passe je suppose que je peux réussir n'importe quoi ! En général, j'ai de la chance de décrocher un C, même quand je me donne un mal de chien. C'est drôle, mais j'ai l'impression que lorsqu'une chose va bien, tout le reste suit. Je m'entends même avec ma mère. Presque. Il me semble qu'elle ne me houspille plus comme avant. Je n'arrive pas à comprendre laquelle de nous a changé, vraiment pas. Est-ce que c'est moi qui suis davantage comme elle voudrait que je sois, ou bien elle qui devient moins exigeante ?

J'ai même croisé Roger dans un couloir de l'école et ça ne m'a strictement rien fait. Il m'a dit « salut » et il s'est arrêté pour bavarder mais je suis passée devant lui la tête haute. Il ne peut plus me faire de mal, celui-là ! Quand je pense qu'il y a seulement trois mois...

22 octobre.

Scott Lossee m'a invitée à aller au cinéma vendredi. J'ai perdu cinq kilos. Je suis descendue à cinquante-sept, mais je voudrais en perdre encore cinq. Maman me dit que j'ai tort, que je serai trop maigre, mais elle ne comprend pas ! J'ai raison ! J'ai raison ! Je sais ce que je fais ! Il y a si longtemps que je n'ai pas mangé de gâteaux ni de bonbons que j'en ai oublié le goût. Vendredi soir, peut-être, je me laisserai aller et je mangerai quelques frites...

14

26 octobre.

Bon film amusant, avec Scott. Ensuite, nous sommes allés souper et j'ai mangé six frites délicieuses, délectables, divines, croustillantes. La grande vie ! Je n'éprouve pas les mêmes sentiments pour Scott que pour Roger. Je suppose que Roger était mon premier véritable amour, mais je suis contente que ce soit fini. Tout de même ! Quinze ans à peine, et mon premier grand amour unique est déjà fini ! C'est assez tragique, dans un sens. Un jour, peut-être, quand nous serons tous les deux à l'université, nous nous retrouverons. Je l'espère. Je l'espère sincèrement. L'été dernier, à la surboum de Marion Hill, quelqu'un avait apporté un numéro de *Play-boy* où il y avait une histoire d'une fille qui couchait avec un garçon pour la première fois et je ne pouvais penser qu'à Roger. Jamais je ne coucherai avec un autre garçon que lui, pas un autre au monde, jamais... jamais... Je jure de mourir vierge si je ne peux pas avoir Roger. Il pense peut-être autrement, je n'en sais rien, mais je ne pourrais pas supporter qu'un autre garçon me touche. Plus tard, peut-être, quand je serai plus vieille, je changerai d'idée. Maman dit que lorsque les filles grandissent, les hormones envahissent le sang et accroissent le désir sexuel. Je dois me développer plus lentement que les autres, sans doute. J'ai entendu raconter des histoires plutôt bizarres sur des gosses de l'école, mais je ne suis pas comme elles, je suis moi, et d'ailleurs l'amour physique me paraît tellement étrange, tellement incommode et gênant.

Je pense tout le temps à notre prof de gym qui nous apprend les danses modernes et qui dit toujours qu'elle rendra nos corps plus sains et plus forts pour le jour où nous aurons des enfants, et puis elle insiste, elle répète tout le temps que tout doit être gracieux, gracieux, gracieux. Je ne vois vraiment pas comment l'amour ou un accouchement peuvent être gracieux.

Faut que je me sauve. À bientôt.

10 novembre.

Cher, cher journal, je t'ai bien négligé et j'en suis désolée, mais j'ai eu beaucoup de choses à faire. La semaine dernière, nous avons vendu notre maison aux Dulburrow qui ont sept enfants. J'aurais préféré que nous la vendions à des gens qui n'auraient pas eu une telle marmaille. Ça me fait mal au cœur de penser à ces six garçons dévalant notre bel escalier en fourrant leurs pattes sales et poisseuses sur les murs, traînant leurs souliers crottés sur la belle moquette blanche de maman. Tu sais, quand je pense à ces choses, je n'ai plus envie de partir ! J'ai peur ! J'ai vécu dans cette chambre toute ma vie, tous mes quinze ans, cinq mille cinq cent trente jours. J'ai ri et j'ai pleuré, et j'ai gémi et marmonné dans cette chambre. J'y ai aimé des gens et des choses et j'en ai haï. Elle fait partie de ma vie, de moi-même. Est-ce que ce sera la même chose quand nous serons enfermés dans d'autres murs ? Aurons-nous d'autres pensées, éprouverons-nous d'autres émotions ? Ah ! maman, papa, nous commettons peut-être une grave erreur, nous laissons peut-être derrière nous une trop grande partie de nous-même !

Cher, cher journal, je te baptise avec mes larmes. Je sais que nous devons partir et qu'un jour je devrai quitter la maison de mes parents pour en habiter une autre, à moi. Mais partout je t'emporterai avec moi.

30 novembre.

Cher journal,
Il y a longtemps que je n'ai pas bavardé avec toi. Grand-papa et grand-maman sont venus passer deux jours à la maison, et nous avons parlé du bon vieux temps. Papa est même resté, tout le temps. Grand-maman a fait du caramel avec nous, comme lorsque nous étions petits et papa est venu aussi à la cuisine. On a beaucoup ri, et Alex s'est fourré du caramel dans les cheveux, et grand-papa, dans son dentier qui s'est collé et nous avons ri à tomber par terre. Ils sont bien fâchés que nous partions vivre si loin, et nous aussi. La maison ne sera plus la même sans grand-papa et grand-maman qui venaient nous voir si souvent. J'espère que papa a raison de nous emmener si loin.

4 décembre.

Cher journal,
Maman me défend de faire mon régime. Entre nous, je pense que ça ne la regarde pas. C'est vrai que je suis enrhumée depuis quinze jours mais ce n'est pas à cause du régime, bien sûr. Comment peut-elle être aussi stupide et déraisonnable ? Ce matin, je mangeais comme d'habitude mon demi-pamplemousse pour le petit déjeuner et elle m'a forcée à avaler une grande tartine de pain complet, des œufs brouillés et du bacon. Ça doit faire au moins quatre cents calories, peut-être cinq cents ou même sept cents. Je ne comprends pas qu'elle ne me laisse pas vivre ma vie. Elle n'aime pas que je sois grosse comme un tas de lard, les autres gens non plus et moi

je me déteste. Je me demande si je ne pourrais pas aller me fourrer un doigt dans la gorge pour rendre mes repas ? Elle dit qu'il va falloir que je me remette à dîner, aussi, juste au moment où j'avais atteint mon poids idéal, alors que j'avais fini par perdre l'appétit ! Ah ! les parents, quel problème ! Tu n'as pas ces soucis-là, cher journal, tu n'as que moi. Et je suppose que ce n'est pas une chance, parce que je ne peux pas dire que je sois une affaire.

10 décembre.

Quand je t'ai acheté, cher journal, je m'étais promis d'écrire religieusement chaque jour sur tes pages blanches, mais parfois il ne se passe rien d'intéressant, d'autres jours je suis trop occupée, ou de mauvaise humeur, ou en colère, ou je m'ennuie simplement trop pour faire ce que je devrais. Je suis une bien mauvaise amie, même pour toi. Mais tu sais, je me sens plus proche de toi que je ne l'ai jamais été de Debbie, Marie et Sharon qui sont mes meilleures amies. Même avec elles, je ne suis pas vraiment moi. Je suis, en partie, quelqu'un d'autre qui essaye de s'intégrer et de dire ce qu'il faut, et de faire ce qu'il faut, de se trouver là où il faut quand il faut et de s'habiller comme toutes les autres. Parfois, je pense que nous essayons toutes d'être les ombres les unes des autres, nous voulons toutes avoir les mêmes disques, les mêmes chandails, tout, même si ces choses ne nous plaisent pas. Les gosses sont comme des robots fabriqués à la chaîne et moi je ne veux pas être un robot !

14 décembre.

Je viens d'acheter la plus ravissante des broches, ornée d'une seule perle, pour le Noël de maman. Elle m'a coûté neuf dollars cinquante, mais elle les vaut bien. C'est une perle de culture, ce qui signifie qu'elle est vraie et elle ressemble à ma maman. Douce et brillante, mais forte et solide dessous pour ne pas s'étaler partout. Ah ! j'espère qu'elle l'aimera ! J'aimerais tant qu'elle l'aime, et qu'elle m'aime aussi ! Je ne sais pas encore ce que je vais acheter pour Tim et pour papa, mais pour eux, c'est plus facile. J'aimerais trouver un beau porte-stylo doré ou quelque chose, pour papa, qu'il pourrait mettre sur son grand nouveau bureau afin qu'il pense à moi chaque fois qu'il le regarde, même au beau milieu d'une de ces conférences terriblement importantes avec tous les grands cerveaux du monde entier, mais comme d'habitude je n'ai pas de quoi acheter le quart de ce que je voudrais.

17 décembre.

Lucy Martin m'a invitée pour sa fête de Noël et je dois apporter une salade en gelée. Ce sera follement amusant (enfin, je l'espère !). Je me suis fait une robe de lainage blanc. Maman m'a aidée et elle est vraiment très jolie. J'espère qu'un jour je serai capable de coudre aussi bien qu'elle. En fait, j'espère pouvoir un jour être comme elle. Je me demande si à mon âge elle s'inquiétait parce que les garçons ne l'aimaient pas et que les filles n'étaient pas ses amies intimes. Je me demande si dans ce temps-là les garçons étaient aussi obsédés qu'aujourd'hui par le sexe.

Mes amies et moi, nous parlons des garçons avec qui nous sortons et on dirait bien qu'ils sont tous pareils. Aucune de mes amies n'est allée jusqu'au bout, mais je sais qu'un tas de filles à l'école n'hésitent pas. J'aimerais bien pouvoir parler de tout ça avec ma mère parce que j'ai l'impression que la majorité des gosses parlent sans savoir, du moins je n'arrive pas à croire tous les trucs qu'ils racontent.

22 décembre.

La soirée chez les Martin a été parfaite, très amusante. Dick Hill m'a raccompagnée à la maison. Son père lui avait prêté la voiture et nous avons fait tout le tour de la ville pour regarder les illuminations, et nous avons chanté des cantiques de Noël. Ça paraît un peu démodé, mais ça ne l'était pas, vraiment pas du tout. Quand nous sommes rentrés, il m'a embrassée gentiment, et c'est tout. J'étais un peu déroutée parce que je ne savais pas si je ne lui plaisais pas, ou s'il me respectait, ou quoi ? Je suppose que je suis incapable de me sentir en sécurité, quoi qu'il arrive. Parfois, je rêve d'avoir un petit ami, comme ça je saurais toujours que j'aurais des rendez-vous, et quelqu'un à qui parler, mais mes parents sont contre, et d'ailleurs, entre nous, je n'ai encore trouvé personne qui s'intéresse à moi à ce point-là. J'ai peur que ça ne m'arrive jamais. J'aime beaucoup les garçons, pourtant, parfois je me dis que je les aime trop, mais je n'ai pas beaucoup de succès. J'aimerais tant avoir du succès, être belle, riche, pleine de talent. Comme ce serait agréable !

25 décembre.

C'est Noël ! Un merveilleux Noël heureux, magnifique, saint. Je suis si heureuse que j'ai envie de chanter. Comme cadeaux j'ai reçu des livres, des disques, une jupe que j'adore et un tas de petites choses. Et maman adore sa broche ! Vraiment ! Elle l'a tout de suite épinglée sur sa chemise de nuit, et ensuite elle ne l'a plus quittée de la journée. Je suis si heureuse qu'elle lui plaise ! Grand-papa et grand-maman étaient là, et aussi oncle Arthur, tante Jeannie et leurs enfants. C'était vraiment formidable. Je pense que Noël est la plus belle époque de l'année. Tout le monde s'aime, se sent aimé, désiré (même moi !). Je voudrais que ce soit ainsi tous les jours. J'aurais aimé que cette journée ne finisse jamais. Non seulement parce que c'était une grande fête, mais parce que ce sera la dernière dans cette ravissante maison.

Au revoir, chère maison habillée de lumières et de houx et de guirlandes dorées. Je t'aime ! Tu vas bien me manquer !

1ᵉʳ janvier.

Hier soir, je suis allée à un réveillon du Jour de l'An chez Scott. Les gosses étaient un peu survoltés. Certains garçons avaient trop bu. Je suis rentrée de bonne heure en disant que je ne me sentais pas bien, mais en réalité j'étais trop excitée parce que nous déménageons dans deux jours. Je suis sûre que je ne vais pas pouvoir fermer l'œil jusque-là. Quelle aventure ! Déménager, aller vivre dans une autre maison, dans une autre ville et même dans un autre État, tout à la fois ! Papa et maman connaissent quelques professeurs de la nouvelle université et ils ont au moins visité la nouvelle maison. J'en ai vu des photos, mais elle me paraît étrangère, froide, sombre. J'espère que nous l'aimerons quand même, et qu'elle s'habituera à nous.

Franchement, je n'oserai jamais dire ça à quelqu'un d'autre que toi, cher journal, mais je ne suis pas sûre de pouvoir me débrouiller dans une ville inconnue. J'y arrivais tout juste chez nous, où je connaissais tout le monde et où on me connaissait. Je n'ai pas encore voulu y réfléchir, mais je sais bien que je n'ai pas grand-chose à offrir, dans une nouvelle situation. Mon Dieu, aidez-moi à m'adapter, aidez-moi à me faire accepter, aidez-moi à ne pas être une étrangère, faites que je ne sois pas rejetée de la société ni que je devienne une gêne pour mes parents. Voilà que je pleurniche encore, quelle idiote, mais je n'y peux rien, pas plus que je ne puis empêcher notre déménagement. Mon pauvre journal, te voilà encore tout mouillé de larmes ! C'est heureux que les cahiers ne puissent pas s'enrhumer !

4 janvier.

Nous sommes là ! Il n'est qu'une heure dix, le 4 janvier, et Tim et Alex se sont déjà disputés, et maman a une grippe intestinale ou elle est simplement bouleversée par toute cette excitation ; quoi qu'il en soit, papa a dû s'arrêter deux fois en route parce qu'elle avait mal au cœur. Et en arrivant l'électricité n'était pas branchée ou je ne sais quoi, et nous n'avons pas de lumière et papa lui-même était tout prêt à faire demi-tour, je crois, pour rentrer chez nous.

22

Maman avait fait un plan, où elle avait marqué l'emplacement de tous les meubles, mais les déménageurs n'y ont rien compris et tout est en désordre. Alors nous allons tous nous enrouler dans des couvertures et dormir sur les lits, là où ils sont. Je suis bien contente d'avoir ma petite lampe de poche, au moins je peux y voir pour écrire. Entre nous, la maison me paraît bien étrange, vaguement hantée, mais c'est sans doute parce qu'il n'y a pas de rideaux ni rien. Demain, au jour, tout paraîtra peut-être moins lugubre. En tout cas, ça ne pourra pas être pire.

6 janvier.

Désolée de n'avoir pas eu le temps d'écrire pendant deux jours, mais nous n'avons pas arrêté. Nous n'avons même pas fini d'accrocher les rideaux ni de déballer les caisses. La maison est magnifique. Les murs sont couverts de boiseries, et il y a deux marches pour descendre dans le salon. Je fais mes excuses à toutes les pièces pour en avoir dit tant de mal l'autre soir.

Je me fais bien du souci au sujet de l'école et je dois y aller AUJOURD'HUI. J'aimerais bien que Tim aille déjà au lycée. Un petit frère, ce serait quand même mieux que personne, mais il est encore à l'école primaire ; il a déjà fait la connaissance d'un garçon de son âge qui habite la même rue et je devrais me réjouir pour lui, mais je ne peux pas, je suis trop triste pour moi. Alexandria est encore à la petite école et une des maîtresses habite près de chez nous, elle a une fille du même âge et Alex pourra aller chez elle après la classe. Quelle chance d'avoir des amis tout près, et tout ! Pour moi, comme d'habitude, rien ! Absolument rien et c'est probablement ce que je mérite. Je me demande si les filles d'ici s'habillent de la même façon que chez nous ? Mon Dieu, j'espère que je ne serai pas trop différente, qu'on ne me montrera pas du doigt ! Ah ! comme je voudrais avoir une amie ! Mais je ferais mieux de coller sur ma figure un grand sourire parfaitement bidon, maman m'appelle et je dois réagir avec « une attitude qui déterminera mon altitude ».

Un, deux, trois, voilà la martyre !

6 janvier. Soir

Ah ! cher journal, que j'ai souffert ! C'est affreux, froid, l'endroit le plus désolé du monde. Pas une seule personne ne m'a adressé la parole de la journée. À l'heure du déjeuner je suis allée me réfugier à l'infirmerie en disant que j'avais mal à la tête. Et puis j'ai séché mon dernier cours et je suis allée au drugstore où j'ai pris un lait malté, une double portion de frites et une barre de chocolat Hershey géante. Il fallait bien que je trouve une raison d'être à la vie. En mangeant mon chocolat je m'en voulais d'être aussi bébé. Je suis malheureuse comme les pierres et pourtant je me dis que j'ai agi de la même façon avec les nouvelles, dans toutes mes écoles, je les ai ignorées ou bien je les ai dévisagées avec curiosité. Alors, c'est à mon tour d'être « snobée » et je suppose que je le mérite, mais, ah ! que je souffre ! J'ai mal jusque sous mes ongles, et dans les doigts de pied et à la racine des cheveux.

7 janvier.

Le dîner, hier soir, a été atroce. Alex adore sa nouvelle école et sa petite amie Tricia. Tim a pris l'autobus avec le petit voisin, il a assisté à trois cours, il dit que les filles sont plus mignonnes que celles de sa vieille école, et il assure qu'elles lui ont toutes fait des mamours, mais c'est toujours comme ça quand il y a un nouveau. Maman est allée à un thé et elle a trouvé tout le monde « charmant, délicieux, agréable ». (Comme c'est bien !) Ma foi, comme l'eau et l'huile, je ne peux pas me mélanger à ces gens-là, je n'arrive pas à m'adapter. Il me semble souvent que je suis une étrangère dans ma propre famille, que je l'observe de l'extérieur. Comment peut-on être aussi sauvage quand on appartient à un milieu aussi grégaire, amical, élastique ? Grand-papa faisait de la politique et il était toujours le candidat favori, et grand-maman l'accompagnait partout. Alors, qu'est-ce que j'ai ? Est-ce que je suis une espèce de mouton noir, un vilain petit canard ? Un laissé-pour-compte ? Une erreur !

14 janvier.

Une semaine entière, et personne n'a rien fait d'autre que de me regarder avec une espèce de curiosité hostile, comme pour me dire « qu'est-ce que tu fais là ? ». J'ai essayé de me plonger dans mes livres et dans mes études et dans ma musique en faisant semblant de m'en moquer. Je suppose que je m'en moque un peu, au fond, et d'ailleurs qu'est-ce que ça changerait si j'y accordais de l'importance ? J'ai pris cinq livres et je m'en moque aussi. Maman s'inquiète, je le sais, parce que je suis devenue taciturne, mais de quoi pourrais-je bien parler ? Si j'obéissais à sa règle d'or, « si tu n'as rien à dire de gentil, tais-toi », je n'ouvrirais la bouche que pour manger, et je mange déjà trop !

8 février.

Eh bien, depuis que nous sommes ici, j'ai pris plus de sept kilos, j'ai la figure bouffie et les cheveux si gras que je dois les laver tous les soirs pour être à peu près convenable. Papa n'est jamais à la maison et maman est tout le temps sur mon dos. « Sois heureuse, coiffe-toi mieux, relève tes cheveux, sois positive, souris, sois un peu plus vivante, amicale, etc. » Et si on me répète une fois de plus que ma conduite est négative et puérile, je vais vomir. Je ne peux plus mettre les robes que j'ai faites avant de venir ici et je sais que Tim a honte de moi. Quand je suis là et qu'il est avec ses copains, il me traite d'idiote, il m'insulte, il fait des réflexions sur mes cheveux de hippy. Je commence à en avoir marre, marre de cette ville, de l'école en général et de ma famille et de moi-même en particulier.

18 mars.

J'ai enfin trouvé une amie à l'école. Elle est aussi godiche et mal dans sa peau que moi. Mais je suppose que la vieille scie est vraie, qui se ressemble s'assemble. Un soir, Greta est venue à la maison me chercher pour aller au cinéma et mes parents ont tout juste été polis avec elle. Pense un peu que ma charmante mère a même été jusqu'à faire une réflexion grossière sur mon amie terne et moche. Je me demande pourquoi elle ne regarde pas de plus près sa propre fille terne et moche, mais ce serait peut-être trop demander de l'élégante, mince et charmante épouse du grand professeur qui sera peut-être président de l'université d'ici quelques années !

Je les voyais mal dans leur peau et même un peu gênés, tout comme je le suis depuis que nous sommes prisonniers de ce trou horrible.

10 avril.

Ô joie, bonheur et délices, maman m'a promis que je pourrai passer l'été chez grand-maman. Je me mets au régime dès aujourd'hui, dès cette minute ! Naturellement, elle y a mis une condition, le contraire m'aurait étonnée. Je dois avoir de meilleures notes en classe.

20 avril.

L'école est presque finie, plus que deux mois, et je ne peux plus attendre. Tim est intolérable et maman est constamment, mais constamment sur mon dos. « Ne fais pas ci, ne fais pas ça, fais ci, fais ça, pourquoi n'es-tu pas... ?, tu sais que tu devrais..., voilà que tu te conduis encore comme une enfant ! » Je sais qu'elle me compare toujours à Tim et Alexandria et que je ne suis tout simplement pas à la hauteur. On dirait que chaque famille doit avoir son idiot ou son idiote, et devine qui est celle de la maison ? Il est normal qu'il y ait une certaine rivalité mais la nôtre dépasse les bornes. J'adore Tim et Alex, mais ils ont des défauts aussi et je ne sais pas si je les aime plus que je les déteste ou le contraire. Cela s'applique aussi à papa et maman ! Mais, pour être franche, cela s'applique plus encore à moi-même.

5 mai.

Tous les professeurs sans exception que j'ai en ce moment sont des imbéciles et des casse-pieds. J'ai lu un jour qu'une personne a de la chance d'avoir dans sa vie deux bons professeurs qui la stimulent et qui donnent un sens à sa vie. Je suppose que j'ai eu ces deux-là au jardin d'enfants !

13 mai.

J'ai fait la connaissance d'une autre fille, en rentrant à pied de l'école. Elle habite tout près de chez nous et elle s'appelle Beth Baum. Elle est vraiment très chouette. Comme moi, elle est un peu timide et elle préfère les livres aux gens. Son père est médecin et comme papa il n'est jamais à la maison, et sa mère la harcèle tout le temps aussi, mais je suppose que toutes les mères sont comme ça. Sinon, je me demande de quoi auraient l'air les maisons, les jardins et même le monde. Ah ! que j'espère bien n'être jamais obligée de devenir une mère assommante, mais il le faudra bien, sans doute, sinon je ne vois pas comment on accomplira quoi que ce soit.

19 mai.

Aujourd'hui, je suis allée chez Beth en sortant de l'école. Ils ont une maison ravissante et une bonne à plein temps. Beth est juive. Je n'ai jamais eu d'amie juive, et je ne sais pas pourquoi j'aurais cru qu'elles étaient différentes. Je ne sais pas pourquoi, puisque nous sommes tous des êtres humains mais j'aurais pensé que... Comme d'habitude, je ne sais pas même de quoi je parle !

Beth est vraiment très consciencieuse et elle s'inquiète de ses notes, alors nous avons fait nos devoirs ensemble et puis nous avons écouté des disques en buvant des Cocas sans calories. (Elle veut maigrir, elle aussi.) Je l'aime beaucoup et c'est vraiment agréable d'avoir une véritable amie, parce que entre nous, Greta m'assomme. J'ai toujours envie de corriger ses fautes de syntaxe et de lui dire de s'habiller autrement ou de se tenir droite. Je suppose finalement que je ressemble plus à maman que je ne l'aurais pensé ! Je ne suis pas snob, pas du tout, mais la véritable amitié ne peut être basée sur la pitié ni sur le désir qu'on a d'empêcher quelqu'un de se noyer. Elle doit se fonder sur des goûts mutuels, des facultés et même, oui, des milieux mutuels. Ouh là ! Maman serait fière de mon attitude et de ma façon de penser, aujourd'hui ! Dommage que nous ne puissions plus communiquer. Je me souviens, quand j'étais petite, je pouvais lui parler, mais à présent c'est comme si nous parlions un langage différent et nous ne nous comprenons plus. Elle veut me dire quelque chose et je le comprends autrement, ou bien elle me dit une chose et je pense qu'elle cherche à me corriger ou à m' « élever » ou à me sermonner et au fond je suis sûre que ce n'est pas du tout le cas. Elle cherche simplement à communiquer et comme moi elle ne trouve pas les mots justes. C'est la vie, je suppose.

22 mai.

Beth est venue à la maison aujourd'hui pour faire ses devoirs avec moi, et elle a plu à papa, à maman et aux deux petits ! Ils lui ont même demandé de téléphoner chez elle pour demander la permission de rester à dîner, et puis maman va nous emmener faire des courses en ville parce que c'est jeudi et les magasins restent tous ouverts plus tard. Je suis montée me changer en vitesse et Beth a couru chez elle chercher ses affaires. Nous la prendrons en passant, mais je n'ai pas pu m'empêcher de prendre le temps d'écrire ma joie. C'est vraiment trop merveilleux, trop fantastique, pour que je le garde pour moi.

24 mai.

Beth est une amie merveilleuse. Je pense qu'elle est la seule « meilleure » amie que j'ai eue depuis que j'étais toute petite. Nous pouvons parler de tout, de n'importe quoi, même de religion. La religion juive hébraïque est très différente de la nôtre. Ils ont leur messe ou je ne sais quoi le samedi et ils attendent toujours la venue du Christ ou du Messie. Beth adore ses grands-parents et elle voudrait me les faire connaître. Elle dit qu'ils sont orthodoxes, juifs orthodoxes, et qu'ils mangent la viande dans une assiette, et les plats au lait dans d'autres assiettes. Je voudrais mieux connaître ma religion pour pouvoir en parler à Beth.

3 juin.

Aujourd'hui, Beth et moi nous avons parlé de la sexualité. Sa grand-mère lui a dit que lorsqu'une fille et un garçon juifs se marient, si quelqu'un vient dire que la fille n'est pas vierge et qu'on puisse le prouver, alors le garçon n'est pas forcé de l'épouser. Nous nous sommes demandé comment on pouvait prouver une chose pareille. Elle dit qu'elle préfère poser la question à sa grand-mère plutôt qu'à sa mère, mais moi, si je devais le demander, ce que je ne ferais jamais, ce serait encore ma mère que je préférerais interroger. Mais d'ailleurs, maman ne doit pas connaître les coutumes juives.

Beth me dit qu'elle fait des cauchemars, elle se voit à son mariage, en longue robe blanche, elle arrive devant l'autel et quelqu'un chuchote au rabbin qu'elle n'est plus vierge alors le garçon lui tourne le dos et s'en va. Je la comprends, je ferais le même cauchemar à sa place. Un jour, quand elle en aura le courage, elle demandera à quelqu'un, à sa grand-mère, comment on peut savoir. J'espère qu'elle me le dira parce que ça m'intrigue aussi.

10 juin.

Cher journal,

L'école sera bientôt finie et je voudrais qu'elle dure toujours. Beth et moi sommes si heureuses ! Nous n'avons guère de succès auprès des garçons, ni l'une ni l'autre, mais parfois Beth doit sortir avec les fils des amies juives de sa mère. Elle dit que c'est généralement assommant, et que les garçons ne l'aiment pas plus qu'elle ne les aime, mais les familles juives sont comme ça, elles veulent que leurs enfants épousent des Juifs. Un soir, Beth va organiser une sortie et elle me trouvera pour cavalier un « gentil jeune homme juif », comme dit sa mère. Beth dit que ce garçon sera ravi parce que je ne suis pas juive et il aura l'impression de jouer un bon tour à sa mère. Je crois qu'il me plaît déjà.

13 juin.

Hourra ! Youpi ! L'école est finie ! Mais je suis un peu triste aussi.

15 juin.

Beth a arrangé la soirée et m'a trouvé un garçon nommé Sammy Green. Il a été incroyablement poli et convenable avec mes parents, à qui il a plu, bien sûr, mais une fois dans la voiture il s'est mis à me tripoter. Les parents sont de bien mauvais juges. Je me demande parfois comment ils se sont débrouillés pour vivre jusqu'à leur âge avancé. D'ailleurs, la soirée a été plutôt stupide. Sammy ne voulait même pas me laisser regarder le film en paix. Et puis d'abord, c'était un film si dégoûtant que Beth et moi nous sommes restées dans les lavabos longtemps après la fin de la séance. Nous avions honte de sortir, mais comme nous ne pouvions pas y passer la nuit, nous avons finalement fait notre entrée dans le hall du cinéma comme si de rien n'était. Les garçons ont voulu parler du film, mais nous les avons ignorés.

18 juin.

Affreuse nouvelle aujourd'hui ! Beth va passer six semaines dans un camp de vacances. Ses parents vont en Europe et ils l'ont inscrite dans un camp juif. J'ai le cœur brisé, et elle aussi. Nous avons parlé à nos parents, chacune de notre côté, mais autant parler à du vent. Ils ne nous entendent pas, ils ne nous écoutent même pas. Je suppose que je vais aller passer l'été chez grand-maman, comme prévu, mais à présent ça ne m'amuse plus.

23 juin.

Nous n'avons plus que deux jours à rester ensemble, Beth et moi. Notre séparation est presque comme l'attente de la mort. Il me semble que je la connais depuis toujours, car elle me comprend. Je dois avouer qu'il y a même eu des jours, quand sa mère organisait des sorties pour elle, où j'ai été jalouse de ces garçons. J'espère que ce n'est pas étrange qu'une fille ait ces sentiments pour une autre fille. Oh ! j'espère que non ! Est-il possible que je sois amoureuse d'elle ? Non, c'est trop bête, même pour moi ! Mais, tout simplement, elle est l'amie la plus chère que j'ai jamais eue et que j'aurai jamais.

25 juin.

C'est fini ! À midi, Beth s'en va. Hier soir, nous nous sommes fait nos adieux et nous avons pleuré toutes les deux en nous embrassant très fort, comme des enfants effrayés. Beth est aussi seule que moi. Sa mère crie tout le temps et lui répète qu'elle est enfantine et bête. Au moins, papa et maman sont compatissants et comprennent à quel point je vais me sentir seule. Maman m'a emmenée en ville faire des achats et m'a laissée dépenser cinq dollars pour acheter un petit collier d'or massif avec une inscription personnelle gravée à l'intérieur et papa m'a dit que je pourrai lui téléphoner deux fois. Je suppose que j'ai de la chance.

2 juillet.

Cher journal,
Je suis chez grand-maman et jamais je ne me suis plus ennuyée de ma vie. Et l'été ne fait que commencer ! Je crois que je vais devenir folle ! J'ai lu un livre par jour depuis que je suis ici et je m'ennuie déjà à mourir. C'est ahurissant, parce qu'à l'école j'attendais vraiment avec impatience le moment où je pourrais rester au lit, traîner, ne rien faire et lire, lire, lire, et regarder la télé, et faire uniquement ce que j'ai envie de faire, mais maintenant j'en ai marre. Ah ! douleur ! Sharon a déménagé, et Debbie sort avec un type et Marie est en vacances avec ses parents. Je ne suis ici que depuis cinq jours. Il va falloir que je me force à patienter au moins une semaine avant de demander à rentrer à la maison. Est-ce que je vais pouvoir le supporter sans devenir folle ?

7 juillet.

Aujourd'hui, il m'est arrivé quelque chose d'extrêmement bizarre, du moins j'espère qu'elle va arriver.

Oh ! oui ! Oui ! Oui ! Grand-papa et moi, nous sommes allés en ville pour acheter le cadeau d'anniversaire d'Alex et comme nous étions dans le magasin, Jill Peters est entrée. Elle m'a dit « salut » et s'est arrêtée pour bavarder. Je ne l'avais plus revue depuis notre départ et d'ailleurs je n'avais jamais fait partie de sa bande ni de son milieu plutôt chic, mais enfin, quoi qu'il en soit, elle m'a dit qu'elle voudrait aller à l'université de papa en sortant du lycée et qu'elle était impatiente de quitter ce trou et d'aller vivre dans une vraie ville où il se passait vraiment quelque chose. J'ai essayé de lui faire croire que la vie là-bas était très gaie, très sophistiquée et élégante, mais à vrai dire je n'y ai pas trouvé de grande différence. Mais j'ai dû bien mentir car elle m'a dit qu'elle invitait quelques copains demain soir et qu'elle me téléphonerait. Ah ! j'espère qu'elle le fera !

8 juillet.

Cher, cher journal, je suis si heureuse que j'en pleurerais de bonheur ! C'est arrivé ! Jill m'a téléphoné à 10 h 32. Je le sais parce que j'étais assise à côté du téléphone, ma montre à la main, en m'efforçant de lui envoyer des signaux télépathiques. Elle invite quelques copains pour une autographe-partie et, grâce au Ciel, j'ai apporté mon album. Il ne sera pas le même que le leur, et aucune de leurs photos n'y sera, mais les miennes ne seront pas non plus dans leurs albums. Je mettrai mon nouveau tailleur-pantalon blanc et maintenant il faut que j'aille me laver les cheveux et me faire une mise en plis. Ils sont longs, longs, longs maintenant, mais si je parviens à les rouler sur des petites boîtes de jus d'orange j'arriverai à

les faire gonfler, avec un beau rouleau à la page.
J'espère que nous avons assez de boîtes, il le faut !
Il le faut absolument, il le faut !

10 juillet.

Cher journal,
Je ne sais pas si je dois être honteuse ou heureuse.
Je sais seulement qu'hier soir il m'est arrivé une chose
incroyable, extraordinaire. En l'écrivant, ça va paraître morbide, mais en réalité c'était formidable, merveilleux, miraculeux.

Les copains de Jill étaient si gentils, si détendus,
si à leur aise, que je me suis immédiatement sentie
chez moi avec eux. Ils m'ont acceptée comme si
j'avais toujours fait partie de leur bande et tout le
monde était joyeux, très relax. J'ai adoré cette atmosphère. C'était chouette, chouette, chouette. Bref, au
bout d'un moment Jill et un des garçons ont apporté
des verres de Coca-Cola pour tout le monde et aussitôt les gosses se sont couchés par terre sur des coussins, ou sur le canapé et les fauteuils.

Jill m'a cligné de l'œil en disant : « Ce soir nous
allons jouer au furet, tu sais, il court il court le furet,
comme quand on était gosses. » Bill Thompson, qui
s'était allongé à côté de moi, s'est mis à rire : « C'est
dommage pourtant que quelqu'un doive surveiller les
enfants. »

Je l'ai regardé et il m'a souri. Je ne voulais pas
passer pour une idiote en lui demandant ce qu'il voulait dire.

Tout le monde a bu, lentement, et il me semblait
qu'ils s'observaient tous. Je regardais Jill, en pensant
que je devrais faire tout ce qu'elle ferait.

36

Soudain, je me suis sentie toute drôle, comme s'il y avait une tempête en moi. Je me souviens qu'on avait mis deux ou trois disques, depuis qu'on avait apporté les verres, et à présent, tout le monde me regardait. J'avais les mains moites, et je sentais des gouttes de sueur couler de mes cheveux sur ma nuque. La pièce semblait anormalement silencieuse et quand Jill s'est levée pour aller tirer tous les rideaux je me suis dit : « Ils essayent de m'empoisonner ! Pourquoi, pourquoi veulent-ils m'empoisonner ? »

Tout mon corps était tendu, tous mes muscles crispés, et j'éprouvais une bizarre appréhension qui m'étranglait, me suffoquait. Quand j'ai rouvert les yeux, je me suis aperçue que c'était simplement Bill qui m'avait prise par les épaules. « T'en as de la chance », disait-il, lentement, comme un disque que l'on passe à une mauvaise vitesse. « Mais ne t'inquiète pas, je te surveillerai. Ça va être un bon voyage. Allez, détends-toi, laisse-toi aller, ça va être chouette. » Il m'a caressé la figure et le cou, tendrement, et il m'a murmuré : « Je t'assure, je veillerai sur toi, il ne t'arrivera rien de mal. » Soudain, il semblait se répéter, inlassablement, comme dans une chambre d'écho. Je me suis mise à rire comme une folle. C'était la chose la plus drôle, la plus absurde que j'avais jamais entendue. Et puis j'ai remarqué des dessins qui changeaient lentement, au plafond. Bill m'a attirée contre lui et m'a posé la tête sur ses genoux pendant que je regardais les couleurs se mêler et tournoyer au plafond, de grandes taches rouges, bleues, jaunes. Je voulais faire partager aux autres ce spectacle merveilleux mais les mots qui sortaient de ma bouche étaient pâteux, mouillés, ils avaient un goût de couleur. Je me suis redressée et je me suis mise à marcher en frissonnant un peu. J'avais l'impression que le froid s'insinuait en moi et je voulais le dire à Bill, mais je ne pouvais que rire.

Bientôt, des tas de pensées sont apparues entre chaque mot. J'avais découvert le parfait et véritable langage originel, celui d'Adam et d'Ève, mais quand j'essayais de l'expliquer, les mots que j'employais n'avaient pas de rapport avec mes pensées. Je les perdais. Ma découverte m'échappait, cette merveilleuse chose vraie, merveilleuse, inestimable, qui aurait dû être sauvée pour la postérité. J'étais désolée, et finalement je n'ai plus rien dit, je ne pouvais plus, et je me suis laissée tomber par terre, j'ai fermé les yeux et alors la musique a commencé à m'absorber, physiquement. Je pouvais la sentir, la toucher, la humer et l'entendre, tout à la fois. Jamais rien au monde n'avait été aussi beau. Je faisais partie de chaque instrument, littéralement. Chaque note avait son caractère, sa forme, sa couleur, et semblait séparée des autres, si bien que je pouvais considérer son rapport avec tout le reste du morceau avant que la note suivante retentisse. Mon esprit possédait la sagesse des siècles, et il n'y avait pas de mots pour décrire ce que je ressentais.

J'ai vu un magazine, sur une table, et je le voyais en cent dimensions. C'était si beau que je n'ai pas pu le supporter et j'ai fermé les yeux. Aussitôt je me suis mise à flotter dans une autre sphère, un autre monde. Des choses se précipitaient vers moi et s'éloignaient rapidement, en me coupant la respiration comme lorsqu'un ascenseur descend trop vite. Je ne savais plus distinguer le réel de l'irréel. Est-ce que j'étais la table, ou le livre, ou la musique, ou bien est-ce que je faisais partie de tout à la fois ? Mais ça n'avait pas d'importance parce que, quoi que je sois, c'était merveilleux. Pour la première fois de ma vie, je n'avais plus de complexes. Je dansais devant tout le monde, je faisais des effets de bras, de jambes et je m'amusais, j'étais heureuse.

Mes sens étaient devenus si aigus que je pouvais entendre quelqu'un respirer dans la maison voisine, et que je sentais l'odeur du gâteau au chocolat que quelqu'un faisait cuire à des kilomètres de là.

Après des éternités, je pense, je suis retombée sur terre et j'ai vu que tout le monde se levait. J'ai demandé vaguement à Jill ce qui s'était passé et elle m'a expliqué que dans dix des quatorze verres de Coca il y avait eu du L.S.D. et « il court il court le furet » personne ne savait qui l'aurait. Ouh ! Quel bonheur d'avoir été parmi les gagnants ! Quelle chance !

Quand nous sommes rentrées, grand-papa et grand-maman étaient couchés, il n'y avait pas de lumière dans la maison, et Jill m'a aidée à monter dans ma chambre, à me déshabiller et à me coucher, et je me suis endormie, j'ai sombré dans un vague sommeil « mal de mer », mais pleine de bien-être, sauf pour une légère migraine due sans doute à ma crise de fou rire. Quelle soirée ! Formidable ! Merveilleuse ! C'était fantastique ! Mais je ne pense pas que je recommencerai. J'ai entendu raconter trop d'histoires horribles sur la drogue.

Maintenant que je réfléchis, j'aurais dû deviner ce qui se passait ! La première idiote venue l'aurait deviné, mais je trouvais cette soirée si bizarre, si excitante, que je suppose que je n'écoutais pas, ou peut-être que je ne voulais penser à rien... Je serais morte de peur si j'avais su ! Alors je suis vraiment très heureuse qu'ils m'aient joué ce tour, parce que maintenant je peux me sentir libre et vertueuse puisque je n'ai pas pris la décision moi-même. Et d'abord, toute cette histoire est finie et je n'y penserai plus.

13 juillet.

Cher journal,

Depuis deux jours, j'essaye de me persuader qu'en prenant du L.S.D. je suis devenue une « camée » et toutes ces choses vulgaires, sales, méprisables que l'on entend dire des gosses qui prennent du L.S.D. et d'autres drogues, mais je suis si, si, si curieuse que j'ai hâte d'essayer l'herbe, rien qu'une fois, je le promets ! Il faut vraiment que je sache si c'est réellement ce qu'on en dit ! Tout ce que j'ai lu au sujet du L.S.D. a été manifestement écrit par des gens qui ne savaient pas de quoi ils parlaient ; la marie-jeanne, c'est peut-être pareil. Quoi qu'il en soit, Jill m'a téléphoné ce matin, et elle part en week-end chez une amie, mais elle me téléphonera lundi dès qu'elle rentrera.

Je lui ai dit que j'avais passé une soirée vraiment formidable et ça lui a plu, je crois. Je suis sûre que si je lui en parle, discrètement, elle comprendra qu'il faut absolument que j'essaye de fumer de l'herbe, rien qu'une fois, et puis je rentrerai immédiatement à la maison et j'oublierai tout ce milieu de la drogue, mais c'est quand même plaisant d'être au courant et de savoir exactement ce que sont les choses. Naturellement, je ne voudrais surtout pas qu'on sache que je me suis droguée, rien qu'une fois, et je suppose qu'il va falloir que j'achète un de ces petits coffrets qui se ferment avec un cadenas doré, pour te mettre sous clef, cher journal. Je ne peux pas courir le risque qu'on te lise, surtout à présent ! Je crois même que je vais t'emporter à la bibliothèque quand j'irai lire des livres sur la drogue, pour me renseigner. Grâce à Dieu, il y a un catalogue, car je n'oserais demander ces livres à personne ! Et puis, si j'y vais tout de suite, à l'ouverture de la bibliothèque, j'y serai sans doute toute seule !

14 juillet.

En allant à la bibliothèque, j'ai rencontré Bill. Je sors avec lui ce soir. Je suis impatiente de voir ce qui arrivera. C'est un monde entièrement nouveau que j'explore et tu n'imagines pas le nombre de portes qui s'ouvrent devant moi. Je me fais l'effet d'Alice au Pays des Merveilles. Lewis Carroll était peut-être bien drogué !

20 juillet.

Cher, tendre, meilleur ami, cher journal,
Quelle semaine incroyable, fantastique, passionnante, révélatrice, je viens de passer ! C'était... ouah ! Vraiment ce qui m'est arrivé de plus extraordinaire dans ma vie. Tu te souviens que je t'ai dit que je devais sortir avec Bill ? Eh bien, il m'a fait connaître les torpilles, vendredi et le speed[1], dimanche. Toutes les deux sont comme si on galopait sur une étoile filante dans la Voie Lactée, mais un million, un milliard de fois plus excitant. Le speed m'a fait un peu peur, au début, parce que Bill devait me l'injecter dans le bras. Je me rappelais comme j'avais eu hor-

1. Mélange de cocaïne et d'héroïne.

reur des piqûres à la clinique, mais ça c'est différent, et j'ai hâte, hâte, hâte d'essayer encore une fois. J'ai dansé comme jamais je n'aurais pensé en être capable, je ne reconnaissais plus du tout la pauvre petite complexée minable que je suis ! J'étais bien, heureuse, libre, abandonnée, un être différent et amélioré, dans un monde plus beau, plus parfait. C'était dingue ! C'était beau ! Vraiment fantastique !

23 juillet.

Cher journal,

Grand-papa a eu une petite crise cardiaque hier soir, grâce à Dieu c'est arrivé alors que j'allais sortir et ce n'est pas vraiment grave. Ma pauvre grand-maman est folle d'inquiétude mais elle reste calme, comme toujours. Ils ne m'ont pas cassé les pieds depuis que je suis ici, et ils sont si enchantés de voir que je sors et que je m'amuse, qu'ils me laissent entièrement libre. Chers, chers adorables caves ! S'ils savaient ! Leurs sourcils se hausseraient jusqu'à la racine des cheveux.

Grand-papa va devoir passer quelques semaines au lit alors il va falloir que je fasse très attention de ne pas les gêner, sinon ils risquent de me renvoyer à la maison. Mais peut-être, si j'aide grand-maman davantage, ils croiront même qu'ils ont besoin de moi.

J'espère qu'il ne va rien arriver à grand-papa. Je l'aime tant ! Je sais bien qu'un jour grand-maman et lui vont mourir, mais j'espère que ce ne sera pas avant très, très longtemps. C'est curieux, mais jusqu'à maintenant je n'ai guère songé à la mort. Je suppose qu'un jour il faudra bien que je meure, moi aussi. Je me demande s'il existe vraiment une autre vie après la mort. Oh ! je l'espère ! Mais ce n'est pas tant ça qui m'inquiète. Je sais bien que notre âme remontera auprès de Dieu, mais quand je pense à notre corps, enterré dans la terre sombre et froide pour être mangé par les vers et pourrir, je suis horrifiée. Je crois que j'aimerais mieux être incinérée, oui, j'aimerais mieux ça ! Certainement ! Je vais demander à papa et maman et aux petits, dès que je serai rentrée, de bien me faire incinérer quand je mourrai. Ils le feront, ils sont merveilleux, adorables et je les aime et j'ai bien de la chance d'avoir une aussi bonne famille. Je ne dois pas oublier de leur écrire aujourd'hui même. Je ne leur ai pas écrit souvent, et je dois, je dois vraiment y penser. Et je crois que je leur dirai que je veux rentrer, tout de suite ! Immédiatement ! Je veux échapper à Bill et à Jill et à toute cette bande. Je ne sais pas pourquoi je ne devrais pas prendre de drogues parce que c'est dingue, et merveilleux et beau, mais je sais que c'est mal et je ne recommencerai plus ! Plus jamais ! Je fais ici le serment solennel de vivre désormais, à partir de ce jour, de manière que tous les gens que je connais puissent être fiers de moi et que je puisse aussi être fière de moi-même !

25 juillet.

Grand-papa va de mieux en mieux. J'ai fait toute la cuisine et le ménage et tout pour que grand-maman puisse rester tout le temps avec lui. Ils l'apprécient beaucoup, et moi je les adore.

6 h 30.

Jill a téléphoné pour m'inviter mais je lui ai dit que j'étais forcée de rester avec mes grands-parents jusqu'à ce que grand-papa aille mieux. Je suis bien heureuse d'avoir eu une raison de refuser.

28 juillet.

Papa et maman téléphonaient tous les jours, depuis que grand-papa est malade. Ils m'ont demandé si je voulais rentrer, et j'en ai réellement très envie, mais j'estime que je dois rester ici jusqu'à la semaine prochaine au moins, pour aider.

2 août.

Je commence à m'ennuyer à mort, mais au moins j'apporte mon soutien moral à grand-maman, et après tout ce qu'elle a toujours fait pour moi, c'est bien le moins. Bill a téléphoné de nouveau pour m'inviter à sortir et grand-maman a insisté pour que j'accepte, alors je suppose que je vais aller avec lui, mais je le laisserai faire un voyage tout seul et ce sera moi, cette fois, qui le surveillerai.

3 août.

Hier soir, Bill avait invité six gosses chez lui. Ses parents étaient sortis et ne devaient pas rentrer avant une ou deux heures du matin. Ils allaient tous partir en voyage à l'acide, et comme j'étais enfermée depuis si longtemps, j'ai pensé que je pourrais aussi bien faire un dernier voyage moi-même. Je ne vais certainement pas prendre ces trucs-là une fois chez moi. C'était délirant, plus dingue encore que les autres fois. Je ne vois vraiment pas comment chaque voyage peut être plus formid que le précédent, mais c'est comme ça. Je suis restée assise pendant des heures à examiner la magnificence exotique de ma main droite. Je voyais les muscles, les cellules, les pores. Chaque vaisseau sanguin me fascinait, et j'ai l'esprit encore tout excité par cette merveille.

6 août.

Ça y est ! C'est arrivé ! Depuis hier soir, je ne suis plus vierge ! Dans un sens, je le regrette bien parce que je m'étais toujours promis que Roger serait le premier et l'unique homme de ma vie, mais il n'est jamais là, en fait je ne l'ai pas vu depuis que je suis ici. Aussi bien, il a pu changer et devenir un grand imbécile dégingandé parfaitement stupide.

Je me demande si c'est aussi excitant, aussi merveilleux, aussi indescriptible de faire l'amour sans acide. J'avais toujours cru que ça ne durait qu'une minute, ou que ce serait comme les chiens qui copulent, ça n'a rien à voir ! À vrai dire, hier soir j'ai mis longtemps à partir en voyage. Je m'étais assise dans un coin, je me sentais un peu en quarantaine, pas dans le coup et hostile, et puis brusquement, c'est venu et j'ai eu envie de danser comme une folle et de faire l'amour. Je ne me doutais même pas que j'avais ce genre de sentiments pour Bill. Il n'avait été pour moi qu'un gentil garçon qui s'occupait de moi quand j'avais besoin d'être aidée, mais soudain toutes mes inhibitions disparaissaient et je voulais le séduire, encore qu'il n'avait guère envie de se faire prier. Je dois dire qu'à ce moment-là, rien ne paraissait vrai.

Depuis toujours, je croyais que la première fois que je ferais l'amour ce serait bizarre, et même douloureux, mais ça n'a été qu'un autre aspect de cette atmosphère dingue, brillante, fantastique. Je n'arrive toujours pas à séparer le réel de l'irréel.

Je me demande si tous les autres ont fait l'amour... Non, ce serait trop bestial et indécent ! Je me demande ce qu'en penserait Roger, s'il savait, et mes parents, Tim et Alex, et grand-papa, grand-maman ? Je crois qu'ils seraient mortifiés, mais certainement pas plus que je ne le suis !

Si ça se trouve, je suis amoureuse de Bill, après tout, mais en ce moment je ne me rappelle même pas sa figure. C'est affreux, je ne sais plus où j'en suis, je me sens écœurée... et si j'étais enceinte ? Ah ! que j'aimerais avoir quelqu'un à qui parler, n'importe qui, quelqu'un qui me comprendrait !

Je n'avais pas encore pensé que je pourrais être enceinte. Est-ce que ça peut vous arriver la première fois ? Est-ce que Bill m'épousera si j'attends un enfant, ou bien va-t-il penser que je ne suis qu'une fille facile, une imbécile qui couche avec n'importe qui ? Mais non, bien sûr, il ne m'épousera pas, il n'a que quinze ans ! Il faudra que je me fasse avorter, ou quelque chose comme ça. Je serais vraiment désespérée si j'étais obligée de quitter l'école, comme M., l'année dernière. Pendant des semaines, on n'a parlé que de ça. Mon Dieu, mon Dieu, je vous en supplie, faites que je ne sois pas enceinte !

Je vais téléphoner à maman, tout de suite ! Je vais demander à grand-maman de m'acheter un billet d'avion et je rentrerai à la maison demain. J'ai horreur de ce patelin pourri, je déteste Bill Thompson et toute la bande. Je ne sais vraiment pas comment je me suis laissée entraîner par ces gens-là, mais j'étais si heureuse d'être acceptée, au début, et maintenant voilà que j'ai honte... comme si ça pouvait y changer quelque chose !

7 août.

Papa et maman pensent que je devrais rester encore une semaine ici. Je ne pouvais pas discuter, franchement, parce que grand-maman a besoin de moi. Mais, en attendant, je ne vais plus répondre au téléphone et je ne sortirai plus.

Après-midi.

Jill a téléphoné, mais j'ai demandé à grand-maman de lui dire que je ne me sentais pas bien. C'est la pure vérité d'ailleurs, et grand-maman elle-même l'a bien vu. Je vis dans le doute, dans la crainte, dans l'appréhension, je suis malade de terreur comme je n'aurais jamais cru pouvoir l'être.

9 août.

La terre s'est littéralement arrêtée de tourner. Ma vie est finie, complètement finie. Après dîner, grand-maman et moi nous étions assises dans le jardin quand nous avons entendu frapper à la grille de la cour. C'était Roger et ses parents ! Ils venaient de rentrer de vacances, ils avaient appris la maladie de grand-papa et ils passaient voir comment il allait.

Folle, j'étais folle ! Roger est encore plus beau que je ne me le rappelais, et j'avais envie de me jeter dans ses bras en pleurant, en lui racontant tout. Mais nous nous sommes simplement serré la main et je me suis enfuie dans la cuisine pour servir des verres à tout le monde. Plus tard, quand on a eu bavardé un moment, grand-maman m'a demandé d'aller chercher des chips, et Roger m'a suivie ! Roger ! Il m'a même invitée à sortir avec lui ! J'aurais voulu mourir, là tout de suite, et plus tard, quand nous sommes allés dans le jardin, il s'est mis à me parler, à m'expliquer qu'il allait dans une école militaire, pendant un an et demi, jusqu'à ce qu'il soit prêt pour l'université. Il m'a même avoué qu'il avait un peu peur de partir tout seul pour la première fois, et il m'a dit qu'il voulait être ingénieur aéronautique et travailler aux nouvelles techniques de l'aviation. Il a des idées merveilleuses ! C'était presque du Jules Verne, et il fait aussi un tas de projets, il veut entrer dans l'armée, et tout.

Et puis il m'a embrassée et c'était exactement ce que j'avais rêvé depuis que j'étais au jardin d'enfants. D'autres garçons m'ont embrassée, mais ce n'était pas du tout la même chose. Il y avait dans son baiser de la tendresse, du désir, du respect et de l'admiration. C'est la chose la plus merveilleuse qui me soit jamais arrivée de ma vie. Mais à présent, en y repensant, j'en ai mal au cœur. Et s'il apprenait ce que j'ai fait depuis que je suis arrivée ici ? Comment pourrait-il me pardonner ? Comment comprendrait-il ? Si j'étais catholique, je pourrais peut-être m'infliger une pénitence terrible, pour racheter ma faute. On m'a toujours appris que Dieu vous pardonne vos péchés, mais comment pourrais-je me pardonner moi-même ? Et comment Roger pourrait-il me pardonner ?

Ah ! quelles terreurs, horreurs, tourments éternels !

10 août.

Roger a téléphoné quatre fois, aujourd'hui, mais je n'ai pas voulu lui parler. Grand-papa et grand-maman veulent que je reste encore quelques jours avec eux, jusqu'à ce que j'aille mieux, mais *je ne peux pas !* Et je ne peux pas affronter Roger avant d'avoir mis de l'ordre dans mes idées. Mon Dieu, mon Dieu, comment ai-je pu me fourrer dans un tel pétrin ? Quand je pense que j'ai perdu ma virginité quatre jours seulement avant de revoir Roger, je deviens folle. Quelle affreuse ironie ! Mais même sans ça, est-ce qu'il aurait compris les voyages à l'acide ? Est-ce qu'il voudrait encore de moi ? Je ne m'en souciais guère, mais maintenant... ! Et il est trop tard !

Il faut que je parle à quelqu'un. Il faut que je trouve quelqu'un qui comprenne la drogue, ses effets, et à qui je puisse parler. Je me demande s'il n'y aurait pas un professeur, à l'université de papa. Oh ! non ! Non, non, on le lui répéterait, et alors je serais vraiment dans le pétrin. Mais je pourrais peut-être raconter que j'écris une thèse sur la drogue, pour ma classe de sciences ou je ne sais quoi, seulement je ne peux pas faire ça avant la reprise des cours. Je crois que je vais prendre un des comprimés de somnifère de grand-papa, sans ça je ne pourrai jamais dormir. Au fait, je devrais en faire une provision. Il en a plein et je suis sûre que je vais passer de bien mauvaises nuits à la maison, avant d'être de nouveau sur pied. Ah ! j'espère que ça ne durera pas !

13 août.

Je ne peux pas m'empêcher de pleurer. Papa et maman ont téléphoné, ils ont dit qu'ils étaient fiers de moi, de leur fille. Je ne trouve pas de mots pour exprimer ce que je ressens.

14 août.

Grand-maman m'a accompagnée à l'aéroport. Elle croit que je me suis disputée avec Roger et elle m'a répété que tout ira bien, qu'une femme doit être patiente, indulgente, et savoir souffrir. Si seulement elle savait ! Papa, maman, Tim et Alex m'attendaient, et ils m'ont tous dit que j'étais pâle, que j'avais l'air fatiguée, ils ont été merveilleusement gentils. Ça fait du bien d'être rentrée à la maison.

Je dois tout oublier. Je dois me repentir et me pardonner et repartir de zéro ; je n'ai que quinze ans, après tout, et je ne peux tout de même pas cesser de vivre. D'ailleurs, depuis que j'ai eu si peur pour grand-papa, je ne veux pas mourir. J'ai peur. C'est vraiment ironique ! J'ai peur de vivre et peur de mourir, comme dans le Negro spiritual ! Je me demande ce qu'ils avaient comme complexes ?

16 août.

Maman me force à manger. Elle me fait tous mes plats préférés, mais je n'ai de goût à rien. Roger m'a écrit une longue lettre pour me demander si je vais bien, mais je n'ai pas le courage ni la force ni l'envie de lui répondre. Tout le monde s'inquiète terriblement pour moi, et j'avoue que je m'inquiète aussi. Je ne sais toujours pas si je suis enceinte ou non et je ne le saurai pas avant dix ou douze jours. Mon Dieu, faites que je ne le sois pas ! Je me demande sans cesse comment j'ai pu être aussi bête, mais je ne trouve pas de réponse, sinon que je suis tout simplement idiote. Ignorante, stupide, insensée, folle et idiote !

17 août.

J'ai pris le dernier comprimé somnifère de grand-papa et je suis une loque. Je n'arrive pas à dormir, je vis sur les nerfs et maman veut à toute force que j'aille voir le docteur Langley. Il m'aidera peut-être. Je suis prête à faire n'importe quoi.

18 août.

Ce matin, je suis allée consulter le docteur Langley et je lui ai dit et répété que je ne pouvais pas dormir. J'ai mis le paquet. Il m'a posé un tas de questions, il m'a demandé pourquoi je ne pouvais pas dormir, mais je lui ai répété que je ne savais pas, je ne savais pas, je ne savais pas. Finalement, il s'est laissé fléchir et il m'a donné des somnifères. À vrai dire, je n'ai pas tant besoin de sommeil que d'évasion. C'est un moyen de s'évader absolument merveilleux. Quand je n'en peux plus, je prends un comprimé et je me laisse simplement sombrer dans le néant. Au point où j'en suis, c'est mieux que rien.

20 août.

Je n'ai pas l'impression que les comprimés du docteur Langley sont aussi forts que ceux de grand-papa, parce que je suis obligée d'en prendre deux, et même trois. C'est peut-être parce que je suis très nerveuse. Je n'en peux plus, je ne sais pas combien de temps je vais pouvoir tenir le coup ; s'il n'arrive pas quelque chose, bientôt, je crois que je vais me faire sauter la cervelle.

22 août.

J'ai demandé à maman d'appeler le docteur Langley et je vais lui demander des tranquillisants. Je ne peux pas dormir toute la journée et je ne peux pas rester dans cet état. J'espère qu'il m'en donnera. Il le faut, il le faut !

23 août.

Les tranquillisants sont vraiment très chouettes. J'en ai pris un cet après-midi, juste avant que le facteur apporte une nouvelle lettre de Roger. Au lieu d'être bouleversée, je me suis assise à mon bureau et je lui ai écrit, en mettant toute mon âme à nu, mais sans lui parler, naturellement, de mes voyages à l'acide ni du speed et encore moins de Bill ni de la grossesse que je crains. Je me suis même demandé si je ne pourrais pas en faire tâter à Roger, rien qu'une fois, pour qu'il comprenne. Est-ce possible ? Est-ce que je pourrais lui faire faire son premier voyage à son insu, comme ils l'ont fait pour moi ? Ah ! que je voudrais pouvoir l'oser ! J'ai l'impression d'avoir été enfermée pendant des siècles, et c'est peut-être les somnifères ou les tranquillisants, mais par moments, j'aurais envie de m'évader, de crier, de me libérer, mais je suppose que ces temps sont à jamais révolus ! Je n'ai plus la tête à moi, je ne sais plus que penser. Ah ! que j'aimerais avoir quelqu'un à qui parler !

26 août.

Oh ! jour de joie, de bonheur ! Jour merveilleux ! Mes règles sont venues ! Je n'ai jamais été aussi heureuse de toute ma vie ! Je vais pouvoir jeter à la poubelle mes somnifères et mes tranquillisants, je vais de nouveau être moi ! Quelle joie !

6 septembre.

Beth est rentrée de vacances, mais elle n'est plus la même et elle a fait la connaissance d'un garçon juif avec qui elle sort tout le temps. Ils ne se quittent plus. Je suis peut-être jalouse, parce que Roger habite si loin et que l'école a recommencé et Alex et ses petits amis bruyants me rendent folle et maman se remet à me casser les pieds.

Aujourd'hui, je suis allée à une nouvelle petite boutique adorable et je me suis acheté des mocassins très chouettes et un gilet de peau à franges et un pantalon formidable. Chris, la fille qui travaille dans cette boutique, m'a expliqué comment repasser mes cheveux (ce que j'ai fait dès ce soir) et maintenant ils sont parfaitement raides. C'est fantastique ! J'ai un chic fou, seulement ça n'a pas plu à maman. Je suis allée lui montrer ma nouvelle coiffure et elle m'a dit que j'avais l'air d'une hippy et que papa et elle devraient avoir une conversation avec moi un de ces soirs. Je pourrais leur apprendre un truc ou deux, parce que je suppose que l'amour sans drogue ne ressemble pas du tout à la merveilleuse folie dingue en plein que j'ai connue au septième ciel. Et puis d'ailleurs, ils ne sont jamais contents, et j'en viens à penser que quoi que je fasse, ça ne plaira jamais à l'Establishment.

7 septembre.

Hier soir, le bouquet ! Papa et maman ont versé des larmes et des pleurs, ils m'ont répété qu'ils m'aimaient et qu'ils étaient terriblement inquiets depuis mon retour, mon attitude leur causait du souci, et tout. Ils détestent ma coiffure, ils voudraient que je me fasse une queue de cheval comme une petite fille, et ils ont jacassé, jacassé et jacassé, sans écouter un seul mot de ce que je voulais leur dire. Dès le début, d'ailleurs, quand ils se sont mis à me parler de leur profonde inquiétude, j'ai eu envie de tout leur dire. Je voulais tout leur révéler, vraiment ! Plus que tout au monde, j'aurais voulu savoir qu'ils comprenaient, mais naturellement ils ont continué à parler, à parler sans cesse parce qu'ils sont bien incapables de comprendre quoi que ce soit. Si seulement les parents voulaient bien écouter ! Si seulement ils nous laissaient parler au lieu de nous sermonner, de nous corriger, de crier et de parler, parler, parler ! Mais ils n'écoutent rien ! Ils ne veulent pas ou ne peuvent pas écouter et nous, les jeunes, nous nous retrouvons toujours dans notre coin, tout seuls, sans personne à qui

54

parler, et sans pouvoir communiquer. Cependant, j'ai de la chance, car j'ai Roger...

9 septembre.

Encore une sale journée, encore une déception. Roger s'en va à cette école militaire et il ne reviendra qu'à Noël, et encore ce n'est pas sûr ! Son père et son grand-père y sont allés, alors je suppose qu'il est moralement obligé d'en faire autant, mais j'ai besoin de lui, je voudrais qu'il soit ici et pas dans cette école imbécile à apprendre à marcher au pas ! Maintenant, nous allons être séparés par tout un continent. Je lui ai écrit une lettre de dix pages pour lui dire que je l'attendrai, bien que dans sa dernière lettre il me disait que je devais sortir et m'amuser. Mais comment veut-il que je m'amuse dans ce sale trou ?

10 septembre.

La lettre de Roger m'a tellement déprimée que je suis allée à la boutique où Chris travaille, pour regarder les robes. C'était sa pause-café, alors nous sommes allées à côté boire un Coca au drugstore, et je lui ai dit que j'avais un cafard noir à cause de Roger. Elle a compris immédiatement. C'est vraiment chouette d'avoir quelqu'un à qui parler. Quand nous sommes retournées au magasin elle m'a donné un petit truc, comme un bonbon rouge et elle m'a dit de rentrer à la maison, d'avaler le bonbon et d'écouter de la musique du tonnerre. Elle m'a expliqué : « Ce petit cœur va te remonter à bloc », et elle avait raison ! J'ai pris trop de somnifères, ces derniers temps, et trop de tranquillisants. Je me demande bien pourquoi cet imbécile de toubib ne m'a pas donné des trucs pour aller mieux au lieu de ces machins qui me rendent cafardeuse. Cet après-midi, j'étais en pleine forme, je croyais revivre. Je me suis lavé les cheveux et j'ai rangé ma chambre et repassé mes affaires, j'ai fait absolument tout ce que maman me demande de faire depuis des jours. Le seul problème c'est qu'il est maintenant l'heure de me coucher et je n'arrive pas à calmer mon énergie. J'écrirais bien à Roger, mais je lui ai envoyé une lettre géante hier et il me prendrait pour une dingue. Je suppose qu'il va falloir que je gaspille une de mes bonnes pilules somnifères pour y mettre fin. C'est la vie.

À bientôt.

12 septembre.

Papa et maman n'arrêtent pas de rouspéter, ils disent que je suis une gentille fille mais que je commence à me conduire comme une hippy, et ils ont peur que j'aie de mauvaises fréquentations. En somme ils sont tellement ultraconservateurs qu'ils ne se rendent compte de rien. Chris et moi, nous parlons beaucoup de nos parents et de l'Establishment. Son père est P.-D.G. dans une société d'alimentation et il voyage beaucoup, « souvent en compagnie d'autres femmes que la sienne », m'a confié Chris. Et sa mère fait partie d'un tas de clubs et elle a l'esprit tellement civique qu'elle s'imagine que toute la ville s'écroulerait si elle s'arrêtait une minute pour écouter sa fille. « Maman est un pilier de la société, m'a dit Chris. Elle soutient tout et tout le monde sauf moi et, papa, qu'est-ce qu'il me laisse tomber ! »

Chris n'a pas besoin de travailler, mais elle ne peut pas supporter de rester chez elle. Je lui ai dit que c'était pareil pour moi, et elle va essayer de me trouver un job avec elle. C'est pas formid ?

13 septembre.

Youpi ! Enfin, je me sens vivre ! J'ai un boulot ! Chris a parlé hier soir à son patron et il a dit oui. C'est pas fantastique ? Je travaillerai avec Chris le jeudi et le vendredi soir et toute la journée du samedi, et je pourrai acheter toutes les tenues non conformistes que mon petit cœur désire. Chris a un an de plus que moi, et elle est dans la classe au-dessus, mais c'est vraiment une fille formidable et je l'aime et je m'entends mieux avec elle qu'avec personne d'autre, de toute ma vie, même Beth. Je suppose qu'elle est un peu dans le coup, côté drogue, parce qu'elle m'a donné des cœurs deux ou trois fois quand j'avais le moral à zéro. Un jour, bientôt, il faudra que je lui parle de tout ça.

21 septembre.

Cher journal, mon ami,
Je suis désolée de t'avoir négligé, mais j'ai eu beaucoup de travail, avec mon nouveau boulot et l'école qui recommence et tout, mais tu es toujours mon plus cher ami et mon confident, même si je suis vraiment sur la même longueur d'ondes que Chris que je reçois cinq sur cinq. Nous ne sommes jamais fatiguées et nous sommes les deux filles qui ont le plus de succès au lycée. Je sais que j'ai une allure folle,

j'ai gardé ma ligne et chaque fois que j'ai faim ou que je me sens lasse, hop, j'avale une benny[1]. Nous avons de l'énergie et de la vitalité à revendre et des frusques, oh ! papa ! Mes cheveux sont sensass. Je les lave à la mayo et ils sont brillants et souples, à faire tomber dingue les gars.

Je n'ai toujours pas rencontré le mec qui me plairait, mais c'est sans doute aussi bien, puisque j'attends Roger.

23 septembre.

Cher journal,
Mes parents vont me rendre complètement folle, c'est sûr. Il faut que je prenne des dexies[2] et des bennies pour rester en forme à l'école et quand je sors et que je fais mes devoirs, et puis des tranquillisants pour tenir le coup à la maison. Papa estime que je lui fais du tort, et hier soir il a même crié à table et il m'a engueulée parce que je disais « papa ». Il a ses mots à lui quand il veut marquer le coup et c'est très bien, mais que je dise « papa » et on croirait que je viens de commettre un péché capital. Chris et moi, on en a ras le bol. Elle a une copine à San Francisco qui pourrait nous trouver du boulot et comme nous avons toutes les deux l'expérience de la vente dans les boutiques, nous pourrions nous débrouiller. D'ailleurs, ses parents sont sur le point de divorcer. Ils ne font que se bagarrer, quand ils sont ensemble, et Chris en a marre. Moi, au moins, je n'ai pas à supporter de disputes.

1. Comprimé de benzédrine. *(N.d.T.)*
2. Dexédrine, un excitant.

Et puis Roger dit qu'il est trop occupé pour m'écrire, ce qui est certainement bidon en plein. Comme dit Chris, loin des yeux loin du cœur.

26 septembre.

Enfin, ça y est, papa ! Enfin, hier soir, j'ai fumé de l'herbe et c'était encore plus fantass que j'aurais cru ! Hier, en sortant de la boutique, Chris m'a présenté un de ses copains qui savait que j'avais tâté de l'acide mais qui voulait me faire virer sur le hasch.

Il m'a dit de ne pas me faire d'idées, que ce ne serait pas comme l'alcool, et je lui ai dit que je n'avais jamais bu, sauf un peu de champagne à des goûters d'anniversaire ou des fonds de verres quand mes parents donnaient un cocktail. Ça nous a fait éclater de rire, tous, et Ted, le copain de Chris, a dit que des tas de gosses n'essayent jamais de se piquer le nez, non seulement parce que l'alcool est le truc des parents, mais parce que c'est bien plus difficile à avoir que de l'herbe. Ted nous a raconté qu'au début, quand il a commencé à en tâter, il s'est aperçu qu'il pouvait piquer un tas de fric à ses parents et qu'ils ne s'en apercevaient pas, mais si jamais il avait avalé une gorgée de leur alcool, ils auraient fait un ramdam du tonnerre, à croire qu'ils faisaient des marques sur les bouteilles pour vérifier le niveau.

Ensuite, Richie m'a montré comment je devais fumer. Moi qui n'avais même jamais essayé une cigarette !

Il m'a fait une petite conférence d'orientation, par exemple comme quoi je devais écouter les petites choses que je n'entendais pas ordinairement, et me détendre. Au début, j'ai aspiré si profondément que j'ai failli mourir étouffée, alors Richie m'a dit de fumer la bouche ouverte pour mélanger autant d'air que possible. Mais ça n'a pas très bien marché non plus, et au bout d'un moment, Ted est allé chercher un narguilé. Ça m'a paru drôle, exotique, et au commencement je n'arrivais pas à aspirer la fumée et je me sentais volée parce que les trois autres étaient visiblement en pleine vape. Mais finalement ça a marché, au moment où je désespérais, et je me suis vraiment sentie heureuse et libre, comme un canari chantant et volant dans le ciel. Et j'étais détendue, détendue ! Je crois que je n'ai jamais été aussi détendue de ma vie ! C'était vraiment beau, merveilleux. Plus tard, Richie est allé chercher dans sa chambre un tapis en peau de chèvre et nous avons marché dessus pieds nus dans la fourrure ; la sensation était extraordinaire, indescriptible, tout mon corps semblait enveloppé de fourrure et soudain, j'ai pu entendre le son presque silencieux des longs poils soyeux se frottant les uns contre les autres et contre mes pieds. Jamais je n'avais entendu un son pareil, et je me souviens d'avoir essayé de faire une dissertation sur ce phénomène, d'expliquer comment chaque poil émettait un son différent et parfait. Mais je ne pouvais pas, bien sûr ; c'était trop beau.

Ensuite, j'ai pris une cacahuète salée et j'ai remarqué que je n'avais jamais rien mangé d'aussi salé. C'était comme si j'étais de nouveau petite fille en train de nager dans le Grand Lac Salé, sauf que la cacahuète était encore plus salée ! Mon foie, mon estomac, mes intestins, ma rate étaient couverts de sel. Je rêvais de manger une pêche ou une fraise et de me laisser envahir par leur saveur sucrée. Là-dessus, je me suis mise à rire comme une folle. J'étais enchantée d'être si différente. Tout le monde, l'univers entier était fou, sauf moi. J'étais le seul être parfait et parfaitement équilibré. Je me suis souvenue d'avoir lu quelque part que mille ans d'humanité n'étaient qu'une seconde pour le Seigneur, et je me suis dit que j'avais enfin trouvé la solution. J'étais à présent sur ma propre longueur de temps, je vivais les vies de milliers d'êtres humains en l'espace d'une heure.

Après ça, nous avons eu très soif, nous avons eu terriblement envie de boire ou de manger quelque chose de sucré. Alors nous sommes descendus jusqu'au drugstore, en riant et en plaisantant parce que les trottoirs étaient si hauts et que la lune changeait de forme et de couleur. Je ne sais pas si nous étions vraiment aussi défoncés que nous le disions, mais c'était marrant. Et dans la salle de restaurant nous avons plaisanté, et ri comme si le monde entier et ses secrets nous appartenaient, à nous seuls. Quand Richie m'a raccompagnée à la maison vers minuit, mes parents (qui n'étaient pas encore couchés) ont paru ravis de voir le jeune homme bien poli et distingué avec qui j'étais sortie. Ils n'ont même pas rouspété parce que je rentrais tard ! C'est pas croyable !

P.-S. Richie m'a donné des cigarettes de marie-jeanne pour fumer quand je serai seule et je suis au septième ciel. C'est pas chouette, chouette, chouette ?

5 octobre.

Chris et moi, nous envisageons de quitter notre boulot parce qu'on n'a plus le temps de faire ce qu'on a envie de faire.

Je suis profondément amoureuse de Richie et Chris est amoureuse de Ted, et nous voulons passer le plus

61

de temps que nous pouvons avec eux. L'emmerde-ment, c'est qu'on n'a pas de fric, alors Chris et moi on a dû se mettre à fourguer de l'herbe. Naturelle-ment, nous n'en vendons qu'aux mômes qui se cament régulièrement et qui l'achèteraient à quelqu'un d'autre si nous n'étions pas là.

Ted et Richie sont à l'université et ils doivent tra-vailler bien plus que nous autres au lycée, alors ils n'ont pas le temps de faire la vente. Et puis les gar-çons se font plus facilement agrafer que les filles. Au début, j'ai eu du mal à rester relax et à garder mon *cool* dans l'Establishment, mais puisque je suis main-tenant la nana de Richie à fond, il faut bien que je l'aide.

8 octobre.

J'ai persuadé Richie que ce serait plus facile de fourguer de l'acide que de l'herbe, au moins on peut le coller sur des timbres-primes ou du chewing-gum ou des bonbons, et les trimbaler sans avoir les poulets sur le paletot et sans qu'un sale mouchard trouve notre planque.

Richie est si, si, si gentil avec moi et faire l'amour avec lui c'est comme le tonnerre et les éclairs et les arcs-en-ciel et le printemps. Je m'amuse avec la dro-gue, sans doute, mais je suis vraiment camée de ce garçon. Nous ferions absolument n'importe quoi l'un pour l'autre. Il va faire sa médecine et moi je vais l'aider de mon mieux. Ce sera long et difficile, mais nous y arriverons. Quand je pense qu'il a encore huit ou dix ans d'études... et il est déjà en deuxième année à l'université ! Papa et maman croient qu'il est encore au lycée. Moi, je n'ai pas envie de poursuivre mes études. Papa sera fou, mais je pense que c'est plus important pour moi de travailler pour aider Richie. Dès que j'aurai fini le lycée, je chercherai un emploi et nous nous installerons ensemble tous les deux.

J'adore ce type, vraiment, j'en suis folle ! J'ai hâte de le retrouver. Il me taquine, il me dit que je suis nymphomane parce que je le supplie de me laisser essayer de faire l'amour sans être défoncée. Il me l'a promis. Ce sera quelque chose de tout à fait nouveau. Ah ! que je suis impatiente !

(?)

Richie et moi, nous ne sortons jamais. C'est presqu'un rite ; il vient me chercher, il passe quelques minutes avec mes parents, et puis nous filons vite à l'appartement qu'il partage avec Ted. J'aimerais vraiment que nous puissions être ensemble tous les soirs en pleine vape, mais il ne me laisse venir que les soirs où il peut me donner assez d'acide, d'herbe et de barbituriques pour que je tienne le coup jusqu'à ce que je le revoie. Je sais qu'il étudie, qu'il travaille beaucoup et que je dois me contenter de le voir de temps en temps, mais il me semble qu'il espace ses visites. Il a peut-être raison, je suis trop portée sur la chose, plus que lui, en tout cas. C'est parce qu'il se fait du souci pour moi, sans doute. J'aimerais bien qu'il me permette de prendre la pilule et aussi qu'il ne travaille pas autant. Mais je dois me faire une raison, et d'ailleurs ce que j'ai est si fantastique que je ne vois pas comment je pourrais désirer quelque chose de plus.

17 octobre.

Aujourd'hui, je suis retournée à la petite école. Ça ne me gêne pas d'aller fourguer de la drogue à la sortie du lycée parce que la marchandise est assez difficile à obtenir et les gosses viennent généralement m'en demander. Chris et moi, nous nous fournissons chez Richie. Il peut nous procurer tout ce qu'ils veulent, des barbs, de l'herbe, des amphétamines ou du L.S.D., du D.M.T., n'importe quoi. Les gosses du lycée c'est une chose, mais aujourd'hui j'ai vendu dix plaquettes de L.S.D. à un petit môme de l'école primaire qui n'avait pas même neuf ans. Je sais qu'il doit les fourguer, mais ces gosses sont tout de même trop jeunes ! Je suis tellement écœurée à la pensée que des enfants de dix ans se défoncent que je n'irai plus, je le promets ! Je sais bien que s'ils en veulent ils en trouveront ailleurs, mais je ne leur en donnerai plus, c'est fini ! Depuis que je suis rentrée de l'école je ne fais qu'y penser, allongée sur mon lit, et j'ai décidé de parler à Richie, de le persuader de venir voir papa pour obtenir une bourse, je suis sûre qu'avec ses notes et tout, ce sera possible. J'en suis sûre.

18 octobre.

S'il y avait des médailles et des prix de connerie je serais certainement décorée. Chris et moi, nous sommes allées chez Richie et Ted et nous avons surpris ces deux salauds défoncés en plein et en train de faire l'amour tous les deux. Pas étonnant que Richie ait espacé ses visites ! Et moi qui fourguais de la drogue pour une sale petite tante ! Je me demande combien de petites imbéciles travaillent pour lui !

Ah ! Que j'ai honte ! Je n'arrive pas à croire que j'ai vendu de la drogue à des petits mômes de dix ans, neuf ans, même. Je me déteste, je suis la honte de ma famille, je me fais horreur. Je ne vaux pas plus cher que cette salope de Richie.

19 octobre.

Chris et moi, nous avons passé la journée dans le parc, à mettre les choses au point. Elle se drogue depuis un an, et moi depuis le 10 juillet pour être précise. Nous nous sommes dit que ce serait impossible de changer si nous restions ici, alors nous allons foutre le camp et aller à San Francisco. Et il faut absolument que je dénonce Richie à la police. Je ne suis pas jalouse, je ne veux pas me venger, vraiment pas. Mais je sens qu'il faut que je fasse quelque chose pour protéger tous ces petits mômes.

Toutes ces conneries que Richie m'a fait avaler, comme quoi ils trouveraient bien de la drogue quelque part même si nous n'étions pas là, c'est de la merde. Il se fout de tout et de tout le monde, il ne pense qu'à lui, et le seul moyen de racheter ce que j'ai fait, c'est au moins de l'empêcher de brancher d'autres petits mômes sur la drogue. C'est ça le drame, presque tous les gosses qui se défoncent en revendent et c'est comme une boule de neige qui devient de plus en plus grosse et je me demande si ça finira jamais ! Vraiment ! Je voudrais n'avoir jamais commencé. Et Chris et moi nous nous sommes fait le serment de recommencer à zéro, de ne plus toucher à la drogue, jamais plus ! Nous sommes sincères, nous en avons fait le serment sacré et solennel.

À San Francisco nous ne connaîtrons pas un seul camé, et ce sera facile de nous désintoxiquer.

(?)

C'est très triste de filer en douce en pleine nuit, mais Chris et moi ne voyons pas comment nous pourrions faire autrement. Le car doit partir à 4 h 30 du matin et nous devons le prendre. Nous irons d'abord à Salt Lake City, et de là à San Francisco. J'ai vraiment peur de ce que Richie pourrait me faire s'il me retrouvait. Il doit bien avoir deviné que c'est moi qui l'ai dénoncé parce que dans ma lettre j'ai révélé à la police les endroits que je connaissais, où il planquait sa drogue. Ah ! je voudrais qu'on emprisonne tous les trafiquants et tous les revendeurs !

Adieu, chère maison, adieu chère bonne famille. Si je pars, c'est parce que je vous aime trop et que je ne veux pas que vous sachiez quelle personne faible et méprisable je suis devenue. Je vais vous écrire une lettre, chère famille bien-aimée, mais je ne pourrai jamais trouver les mots pour vous dire à quel point vous m'êtes sacrés.

26 octobre.

Nous voilà à San Francisco, dans un misérable petit studio étouffant et nauséabond. Nous sommes sales, toutes les deux, après les longues heures en car, et comme Chris est en train de prendre un bain au fond du couloir, j'écris ces quelques lignes en attendant mon tour. Je pense que nous avons assez d'argent pour attendre de trouver du travail, parce que j'ai gardé cent trente dollars que je devais remettre à ce fumier de Richie et Chris a pu retirer de la banque les quatre cents dollars de son compte. Ce nid à rats que nous avons trouvé nous revient à quatre-vingt-dix dollars par mois, mais il nous permettra au moins d'attendre d'avoir du travail et de chercher quelque chose de mieux.

J'ai le cœur bien gros en pensant à mes parents, mais ils savent que je suis avec Chris et ils pensent que c'est une fille bien qui ne me détournera pas du droit chemin. Mon Dieu, où est le droit chemin ?

27 octobre.

Chris et moi avons cherché du travail toute la journée, nous avons parcouru les petites annonces, nous sommes allées à toutes les adresses possibles, mais à chaque fois nous étions trop jeunes, ou trop inexpérimentées, ou nous n'avions pas de références, ou ils voulaient quelqu'un avec une clientèle, ou bien on nous écrirait. Je n'ai jamais été aussi épuisée de ma vie. Nous n'avons certainement pas besoin de prendre une pilule pour dormir, ce soir, même sur ce matelas avachi et sale qui passe pour un lit, dans ce taudis.

28 octobre.

Les murs suintent, tout est moite, humide, et il y a même une espèce de moisissure verte dans la penderie. Mais grâce au Ciel nous n'y sommes pas pour longtemps, du moins je l'espère de tout mon cœur ! Cependant, nous n'avons pas eu plus de chance aujourd'hui dans notre chasse à l'emploi. Et nous n'avons pas pu retrouver la copine de Chris.

29 octobre.

J'ai trouvé une place de vendeuse dans une petite boutique de lingerie minable. Ce n'est guère payé mais ça nous permettra au moins de manger. Chris continue de chercher et quand elle aura découvert un bon emploi je quitterai cette place et je tâcherai d'en trouver une meilleure. Chris espère que d'ici un an, peut-être, nous pourrons ouvrir notre boutique à nous. Ce serait merveilleux ! Et si ça marche bien, nous pourrons inviter nos parents, qui seront fiers de notre réussite !

31 octobre.

Chris n'a toujours pas trouvé de boulot. Elle cherche tous les jours, mais nous sommes d'accord toutes les deux pour qu'elle ne prenne pas n'importe quelle place. Il faudra qu'elle en trouve une dans un magasin de luxe où elle pourra apprendre tout ce que nous aurons besoin de savoir pour faire marcher notre boutique, quand nous l'aurons. Tous les soirs, je suis si fatiguée que je m'endors à peine couchée. Jamais je n'aurais cru que ce serait si épuisant de rester debout toute la journée pour servir des clientes assommantes et grincheuses.

1ᵉʳ novembre.

Chris et moi avons passé la journée à nous promener à Chinatown et à Golden Gate Park, et nous avons pris l'autobus pour franchir le pont géant. C'est une ville merveilleuse, excitante, mais j'aimerais bien mieux être à la maison. Je ne peux pas le dire à Chris, naturellement.

3 novembre.

Chris a trouvé du boulot ! Elle est vendeuse dans la plus formidable petite boutique que j'aie jamais vue ! J'y suis allée après mon travail et j'ai acheté des sandales. Elle pourra apprendre tout ce qu'il faut savoir, comment acheter, comment vendre, comment arranger une vitrine, parce qu'elles ne sont que deux dans le magasin. Shelia est la patronne et c'est la femme la plus fabuleusement belle que j'aie jamais vue. La peau claire, blanche comme la neige, des cils longs comme mon bras, faux, bien sûr. Ses cheveux sont noirs, d'un noir de jais et elle est très, très grande. Je ne comprends pas qu'elle ne soit pas mannequin, ou vedette de cinéma ou de télé. Sa boutique est dans un quartier très chic, et ses prix sont très, très, très élevés, même avec la remise de Chris, mais je n'ai pas pu résister à l'envie de dépenser, après toutes les économies de bouts de chandelles que nous avons dû faire.

5 novembre.

J'ai le cœur de plus en plus gros, chaque jour qui passe, au lieu d'être sevrée de ma famille. Je me demande ce que ressent Chris ? Je n'ose rien lui dire de peur qu'elle me prenne pour une imbécile, ce que je suis probablement. Pour tout dire, je crois que je rentrerais immédiatement à la maison si je n'avais pas peur de Richie. Je suis sûre qu'il chercherait à me faire du tort, il est tellement faible et vindicatif. Je le vois maintenant comme il est, assez répugnant, et je me demande bien comment j'ai pu me laisser embobiner par ses belles paroles. Oh ! papa, ce que j'ai pu être idiote et naïve ! Mais c'est fini. Jamais, jamais plus, en aucun cas, je ne tâterai de la drogue. C'est l'unique cause du pétrin dans lequel je suis à présent, et je voudrais, de tout mon cœur et de toute mon âme, ne jamais en avoir entendu parler. Et j'aimerais bien qu'il n'y ait pas de cachets de la poste sur les lettres, parce que alors je pourrais écrire à papa et maman, aux petits, à mes grands-parents, et même à Roger. Il y a tant de choses que je voudrais leur dire ! C'est bien dommage que je ne m'en sois pas rendu compte plus tôt.

8 novembre.

Se lever, manger, travailler, tomber dans son lit épuisée. Je ne prends même plus mon bain tous les jours, c'est trop agaçant d'attendre que la salle de bains soit libre.

10 novembre.

J'ai quitté ma place et je vais consacrer tout mon temps à en trouver une autre, plus intéressante. Shelia m'a donné une liste de boîtes où je pourrai aller me présenter en donnant son nom comme référence.

Nous avons fait une folie, nous nous sommes acheté une télé d'occasion pour quinze dollars. Elle ne marche pas très bien, mais la maison est plus gaie.

11 novembre.

Cher journal,

C'est merveilleux ! Tu ne me croiras pas, mais j'ai trouvé une place dès la première heure, à la deuxième boutique où je suis allée ! Mario Mellani fabrique des bijoux fantaisie ravissants dont beaucoup sont incrustés de pierres précieuses. Il avait besoin de quelqu'un de jeune, à l'air convenable, pour servir en quelque sorte de décor à ses bijoux. Je suis bien flattée qu'il m'ait choisie ! Mr. Mellani est gros, très gai, il a une femme et huit enfants qui habitent Sausalito et il m'a déjà invitée à venir dîner chez lui un dimanche pour faire leur connaissance.

18 novembre.

J'adore ma nouvelle place. Mr. Mellani est comme une nouvelle famille. Il a cette petite boutique très luxueuse dans le hall d'un palace incroyablement cher, et pourtant il apporte son déjeuner tous les jours dans un sac en papier et il le partage avec moi. Il dit que ça l'empêche de grossir. Et Chris et moi, nous allons chez lui dimanche ! C'est formidable ! Ce sera vraiment merveilleux de revoir de jeunes enfants. Il a un fils, Roberto, qui a l'âge de Tim, et un autre petit garçon qui a trois jours de moins qu'Alexandria. Il croit que je suis orpheline, et dans un sens, c'est vrai. Enfin...

Tu sais, cher journal, je pourrais sortir tous les soirs si je n'étais pas difficile. Le hall de l'hôtel est plein de gros bonshommes riches accompagnés de leurs grosses vieilles femmes en vison, zibeline ou chinchilla. Les hommes vont installer leur femme dans leur chambre et puis ils descendent et me font des avances. Il y a aussi tout un tas de représentants qui passent au magasin et s'intéressent à autre chose qu'à la marchandise et il ne me faut pas longtemps pour les repérer dès qu'ils franchissent la porte.

16 novembre.

Hier nous sommes allées chez Mr. Mellani, Chris, et moi, et nous avons passé une journée délicieuse. Ils habitent un quartier assez éloigné et c'est presque la campagne, tout au bout de la ligne d'autobus, avec des collines couvertes d'arbres centenaires. Mrs. Mellani et les enfants sont comme ces familles italiennes qu'on voit au cinéma et elle cuisine comme jamais ! Et les enfants, même les plus grands, embrassent continuellement leurs parents. Je n'ai jamais vu de gens aussi affectueux. Mario, qui a dix-sept ans, sortait avec des copains et il a embrassé son père et tout le reste de la famille comme s'il partait pour toujours.

J'ai passé une bonne journée, mais elle m'a fait regretter plus encore la tendresse de ma famille.

19 novembre.

Chris est rentrée de son travail folle de joie. Shelia nous invite à une soirée, samedi après le travail. Elle commencera assez tard parce que nous travaillons toutes jusqu'à neuf heures, mais je suis ravie parce que je trouve que ça fait terriblement chic et sophistiqué d'aller à une soirée à dix heures et demie du soir !

20 novembre.

C'est demain que nous allons chez Shelia. Je me demande qui il y aura ! Chris me parle tout le temps des vedettes de cinéma et de la télé qui viennent au magasin et que Shelia a l'air de connaître personnellement. Du moins, elles s'embrassent et elles s'appellent « chérie » ou « bébé ».

Ce doit être formidable d'être l'amie d'une vedette ! L'autre jour, T. est venue au magasin de Mr. Mellani et elle a acheté une grosse bague fantaisie, mais elle est si vieille que je ne l'ai jamais vue qu'à la télé une fois, dans un vieux, vieux film où elle jouait une espèce de folle.

22 novembre.

Ah ! jour de joie ! Ce soir, c'est la grande soirée élégante. Je me demande si on me trouvera terriblement naïve si je bois du Coca au lieu du champagne ou je ne sais quoi. On ne s'en apercevra peut-être pas ? Il faut que je me dépêche, maintenant, parfois mon tramway est plein bourré à cette heure-ci et je n'ai pas envie de rester accrochée sur le marchepied, ma mise en plis serait foutue.

23 novembre.

C'est arrivé de nouveau et je ne sais pas si je dois pleurer ou me réjouir. Enfin, cette fois au moins nous étions tous des adultes, faisant notre truc d'adultes, sans influencer une bande de petits mômes. Je suppose que certaines personnes ne me considéreraient pas comme une adulte, mais tout le monde pense que nous avons dix-huit ans, Chris et moi, alors ça n'a pas d'importance. Shelia a un appartement fabuleux, avec une vue spectaculaire. Le portier de l'immeuble était encore plus somptueux que ceux du palace où je travaille, et ils sont pourtant impressionnants ! Nous avons pris l'ascenseur pour monter chez elle, en essayant d'avoir l'air blasé, mais après notre trou à rats, nous étions baba ! Même l'ascenseur nous impressionnait, avec son papier noir et or.

L'appartement de Shelia est comme une photo d'un magazine de décoration. Deux murs entiers sont en verre, dominant toute la ville. J'essayais de ne pas avoir l'air stupéfait, mais j'avais l'impression de me trouver dans un décor de cinéma.

Shelia nous a embrassées sur la joue et nous a conduites dans une grande pièce où des coussins multicolores étaient entassés autour d'une longue table basse en verre et en bronze doré. Il y avait un énorme fauteuil recouvert d'un tissu comme de la fourrure, près de la cheminée, et c'était vraiment trop !

Et puis on a sonné à la porte, et les plus beaux êtres que j'ai jamais vus ont commencé à arriver. Les hommes étaient merveilleux, ils ressemblaient à des statues bronzées de dieux grecs, et les femmes étaient d'une beauté telle que j'avais le souffle coupé. Mais au bout d'un moment je me suis aperçue que nous étions jeunes, éclatantes, et que ces femmes étaient toutes vieilles, vieilles. Elles ne pouvaient sans doute pas sortir de chez elles le matin sans s'être couvertes d'une tonne de maquillage. Alors nous n'avions pas à nous en faire, après tout.

74

C'est alors que j'ai senti l'odeur. J'ai failli m'interrompre au beau milieu d'une phrase, l'odeur était si forte. Chris était à l'autre bout de la pièce mais je l'ai vue qui regardait autour d'elle et j'ai compris qu'elle l'avait sentie aussi. L'atmosphère devenait lourde, et je ne savais plus si je devais m'enfuir ou rester ou quoi. Et puis je me suis retournée et un des hommes m'a passé un clope de H et c'était fini. Je voulais être battue, déchirée, défoncée comme jamais. C'était là que ça se passait, ces gens étaient dans le coup et je voulais y être aussi !

La suite de la soirée a été fantastique. Les lumières et la musique et les sons et San Francisco faisaient partie de moi et je me fondais en eux. C'était une nouvelle excursion incroyable et le voyage a duré je ne sais pas combien de temps. Chris et moi on a créché chez Shelia, et on a pas refait surface avant le milieu de l'après-midi pour retourner entre nos quatre murs dégueulasses.

Je suis un peu inquiète parce que je ne sais vraiment pas ce qui s'est passé. Je ne sais pas non plus si c'est vraiment du H que nous avons fumé, c'est assez difficile de s'en procurer en ce moment, ou quoi. Mais j'espère que je ne vais pas encore passer par cette foutue phase est-ce-que-je-le-suis-ou-non. Une chose est certaine ; si nous devons recommencer le cirque, je vais prendre la pilule, sans faute. Je ne peux pas supporter le suspense, et d'ailleurs, ce serait vraiment la fin de tout si j'étais... mais je ne veux même pas y penser.

Shelia organise des soirées presque tous les jours
et nous sommes toujours invitées. Je n'ai encore rencontré personne qui me plaise bien, mais c'est quand
même marrant, marrant, marrant, et nous créchons
toujours chez elle après, ce qui est rudement mieux
que d'être obligées de rentrer dans notre trou. Chris
a appris que Shelia avait été la femme de G. et que
sa pension alimentaire suffit à entretenir ses amis et
elle et à leur payer la drogue qu'ils veulent. Ce que
ça doit être chouette d'avoir autant de fric ! Je crois
que je vivrais comme elle, mais en mieux.

3 décembre.

Hier soir, j'ai vécu la nuit la plus dégueulasse de
ma pauvre vie foutue, merdeuse et pourrie. Nous
n'étions que quatre, et Shelia et Rod, son copain du
moment, nous ont fait tâter de l'héroïne. Au début,
nous avions un peu peur, mais ils nous ont persuadées
que toutes les histoires horribles qui circulent ne sont
qu'autant de mensonges et de mythes américains...
ah ! Pourtant, je suppose que j'étais assez excitée, et
je dois dire qu'en les voyant préparer les doses j'étais
impatiente de savoir. La *horse* est une sensation fantastique, différente de tout le reste. Je me suis sentie
toute molle, ensommeillée, merveilleusement légère
comme si je flottais au-dessus de la réalité de tous
les jours, très haut dans l'espace. Mais juste avant
d'être trop défoncée pour savoir ce qui se passait j'ai
vu Shelia et cette espèce d'ordure avec qui elle est
qui changeaient de parcours et partaient au *speed*. Je
me souviens que sur le moment je me suis demandé

pourquoi ils s'énervaient alors qu'ils nous avaient si merveilleusement endormies, et c'est seulement après, bien plus tard, que j'ai compris que chacun à leur tour ces enfants de salauds nous avaient violées, et traitées brutalement comme des sadiques. Ils avaient tout prévu, tout prémédité, les foutues ordures de merde.

Quand on est enfin redescendues sur terre, Chris et moi, on s'est traînées jusque chez nous et on a discuté le coup, longtemps. On en a marre, marre ! Toute la saloperie qui marche de pair avec la drogue rend la facture trop lourde ! Cette fois, nous allons vraiment faire attention, et nous entraider et nous surveiller mutuellement. J'ai condamné Richie parce que c'était une foutue pédale, mais j'aurais peut-être dû avoir un peu plus d'indulgence, même pour un salaud pareil. Avec la merde qu'il prenait pour se défoncer, pas étonnant qu'il ait perdu le contrôle.

3 décembre, toujours.

Chris et moi, on a encore discuté et on a décidé de foutre le camp. En comptant notre paye d'hier, nous avons sept cents dollars, alors nous pourrons peut-être ouvrir une boutique dans un quartier pas trop chic. La drogue, c'est fini. On en a marre !

Ça me fait de la peine de quitter Mr. Mellani, qui a été si gentil avec moi, mais ni Chris ni moi ne voulons entendre parler de cette salope de Shelia sadique et dingue... Alors je suppose que je vais encore laisser un petit billet, « Merci », et « Je vous aime bien ».

5 décembre.

Nous avons passé dix heures par jour à chercher en vain un logement ou une boutique, alors nous avons décidé de changer de coin et d'aller du côté de Berkeley. Là-bas, tous les gosses portent des tas de bijoux fantaisie, et avant de quitter sa place Chris a noté des noms de fournisseurs, et je suis sûre que je suis capable de créer des trucs originaux, après avoir observé Mr. Mellani. Ce serait vraiment très chouette si Chris s'occupait des achats et de la vente, et moi des créations.

6 décembre.

Nous avons enfin trouvé ce que nous cherchions ! C'est un tout petit appartement au rez-de-chaussée, tout près de Berkeley qui est maintenant devenu un quartier commercial, alors nous pourrons vivre dans la chambre et la cuisine, et le salon et la minuscule salle à manger nous serviront de magasin et d'atelier. Nous emménageons demain et nous allons commencer à repeindre les murs tout de suite. Nous avons une grande baie donnant sur la rue qui fera une vitrine fantastique, et si nous repeignons les murs et recouvrons les sièges, ça ne sera pas mal du tout. Nous allons faire des tas de trucs dingues, par exemple recouvrir les vieilles tables de feutre, qui ne coûte pas cher, et nous mettrons du tissu imitation léopard sur les sièges et sur un des murs, si nous avons assez d'argent. Ce sera bien agréable d'avoir un foyer, et nous allons bien décorer notre appartement pour qu'il ait l'air confortable et douillet. Nous n'avions pas dépensé un sou pour arranger notre trou à rats.

9 décembre.

J'ai été bien trop occupée pour écrire. Nous avons travaillé vingt heures par jour. Nous avons beaucoup ri, en nous disant que nous aurions bien besoin d'un dexie, mais nous ne voulons plus jamais faiblir. Nous n'avons encore rien fait dans nos quartiers d'habitation, mais le magasin est adorable. Plusieurs gosses sont déjà passés pour nous dire que c'était formidable et pour nous demander quand nous allions ouvrir. Nous n'avons pas les moyens de mettre des tapis alors nous avons peint le sol en rose bonbon et les murs rose pâle et blanc avec des filets rouges et violets sur les boiseries. C'est vraiment sensass. Au lieu de tissu léopard, nous avons trouvé de la fausse fourrure blanche et c'est tout simplement divin. Chris a passé toute la journée chez les grossistes et demain nous ouvrirons notre boutique !

10 décembre.

Chris devait avoir le nez et savoir exactement quoi acheter parce que aujourd'hui nous avons déjà gagné vingt dollars. Elle va devoir retourner acheter des trucs demain.

12 décembre.

Les robinets fuient, les lavabos et les cabinets se bouchent tout le temps et nous n'avons pas toujours d'eau chaude, mais ça n'a pas d'importance. Les gosses passent regarder la télé que nous avons installée dans le magasin d'exposition, ou bien ils viennent simplement bavarder. Nous avons scié les pieds des chaises de la salle à manger pour en faire des sièges bas et toutes les cinq (la sixième était cassée, irréparable) forment un coin intime charmant. Aujourd'hui, un des gosses a suggéré que nous stockions des Cocas et des jus de fruits dans notre réfrigérateur et que nous fassions payer cinquante cents pour ça, avec le droit de regarder la télé. Je crois que nous allons essayer. Nous avons même envisagé, si les choses continuent à marcher aussi bien, d'acheter d'ici quelque temps une chaîne stéréo d'occasion, bon marché. Notre salle d'exposition est vraiment assez grande et la moitié suffirait pour le magasin.

La plupart des gosses qui viennent semblent avoir pas mal de fric, et ils achètent assez de trucs pour avoir le droit de passer un moment chez nous.

13 décembre.

Aujourd'hui, un des garçons, un de nos habitués, a proposé de nous vendre sa stéréo pour vingt-cinq dollars parce qu'il va s'en monter une autre. Nous sommes ravies ! Nous allons passer la nuit s'il le faut pour la garnir de velours rouge clouté d'or. Ce que les gosses vont être surpris, demain ! Je suis si heureuse d'être fatiguée que je m'endors à peine couchée, parce que je ne veux pas avoir le temps de penser, surtout pas à Noël.

15 décembre.

Ce matin, Chris est sortie de bonne heure pour aller chez les grossistes et j'écoutais la stéréo tout en faisant le ménage et puis un des disques a commencé à jouer « Ne me quitte pas » et tout à coup j'ai senti des larmes couler sur mes joues comme si on avait ouvert en grand deux robinets dans ma tête. C'est terrible ! Je crois que je vais rentrer à la maison après Noël, peut-être même avant. Ce sale pétrin, avec Richie, doit être écrasé à présent, et je pourrai rentrer et reprendre l'école en cours de trimestre. Chris pourra garder le magasin, à moins qu'elle préfère rentrer avec moi, mais je ne veux pas encore lui en parler.

17 décembre.

Ça commence à devenir plutôt monotone, pour Chris et moi. Tous les gosses ne font que parler de leurs trucs et de ce qu'ils éprouvent quand ils sont défoncés. Ça me rappelle le père de papa, qui parlait tout le temps, avant de mourir, de ses douleurs et tout. Ces gosses me font le même effet. Ils ne parlent jamais de ce qu'ils veulent dans la vie, ni de leur famille ni de ce qu'ils aiment, ni rien, seulement de ceux qui fourguent, et combien ils pourront se payer l'année prochaine, et qui a les dernières miettes en ce moment, et qui pourra fournir. Et les dingues commencent aussi à me casser les pieds. Je me demande si nous allons vraiment avoir une véritable révolution dans ce pays. Quand ils en parlent, ça paraît assez raisonnable et passionnant... tout détruire pour repartir de zéro, pour avoir un pays neuf, un nouvel amour, la paix et le partage. Mais quand je suis seule, ça me fait l'effet d'une hallucination stupide de camés. Ah ! je ne sais plus, je ne sais plus que penser ! Je ne peux pas croire qu'un jour prochain les mères et les filles, les pères et les fils se battront pour fabriquer ce nouveau monde. Mais ils finiront peut-être par me persuader, avant que j'entre à l'université, si jamais j'y vais un jour.

18 décembre.

Aujourd'hui, nous avons tout simplement fermé boutique et nous sommes sorties. C'est la première fois que nous sortons ensemble depuis des semaines, les gosses avec tous leurs problèmes de drogue commençaient à nous barber. Nous avons pris le bus, nous nous sommes promenées tranquillement et puis nous nous sommes payé un repas somptueux dans un restaurant français. Et ça nous semblait bon d'être de nouveau bien habillées après avoir traîné si longtemps en vieux jeans crasseux. Mais les vitrines et les décorations de Noël nous ont fait le cœur gros, et nous nous sommes senties bien seules, mais nous n'avons rien dit. J'essayais même de faire semblant de m'en foutre, mais à toi, mon cher journal, je peux dire la vérité. Je me sentais terriblement seule, j'ai le cœur brisé, je déteste ce genre de vie et tout ce qu'elle représente, j'ai l'impression que je me gaspille. Je veux rentrer chez moi, retrouver ma famille, mon école. Je ne veux pas perdre mon temps à écouter tous ces gosses qui peuvent aller chez eux pour Noël s'ils le veulent, qui peuvent écrire ou téléphoner à leurs parents, alors que je ne peux pas, et pourquoi ? Je n'ai rien fait que ces gosses n'ont pas fait. Tous les camés vivent dans les égouts, l'un ne va pas sans l'autre.

22 décembre.

J'ai téléphoné à la maison. Maman était si heureuse de m'entendre qu'elle pleurait et je ne comprenais pas ce qu'elle me disait. Elle m'a proposé de m'envoyer de l'argent, ou bien d'envoyer papa me chercher, mais je lui ai répondu que nous n'avions besoin de rien et que nous rentrerions ce soir par le premier avion. Pourquoi n'avons-nous pas pris cette décision depuis des semaines, des mois, des éternités ? Ce que nous sommes bêtes !

23 décembre.

Hier soir j'ai cru monter au Paradis. Notre avion avait du retard, mais papa, maman, Tim et Alexandria étaient tous là qui m'attendaient, et nous nous sommes tous mis à pleurer comme des bébés, sans honte aucune. Grand-papa et grand-maman doivent arriver dans la journée et ils passeront les fêtes de Noël avec nous. Personne au monde n'a pu être aussi tendrement accueillie que je l'ai été. J'ai l'impression d'être le fils prodigue rentrant au bercail, et je jure de ne plus jamais quitter ma maison.

Les parents de Chris étaient là aussi, en larmes. Le départ de Chris a eu ça de bon qu'il a réuni son père et sa mère, et ils ne pensent plus à divorcer.

Plus tard.

Je suis si heureuse que Chris et moi nous ayons réussi dans notre petite entreprise. Mark, un des garçons qui venaient au magasin, avait pris des photos en couleurs qui ont impressionné la famille. Naturellement, nous n'avons pas parlé de nos aventures à San Francisco et maman était ravie d'apprendre que nous n'avions pas mis les pieds à Haight-Ashbury, où d'ailleurs il ne se passe plus rien.

Cet après-midi, j'ai demandé aux renseignements les numéros de téléphone de Richie et de Ted, mais ils ne figurent pas à l'annuaire. Alors je suppose qu'ils ont disparu de la circulation et j'en suis bien soulagée !

24 décembre.

La maison sent merveilleusement bon. Nous avons fait des gâteaux, des tartes, des biscuits, des caramels. Grand-maman est une cuisinière formidable et elle va m'apprendre un tas de choses. Nous avons installé l'arbre de Noël, la maison est toute décorée et les fêtes vont être plus belles que jamais.

J'ai téléphoné à Chris aujourd'hui et elle est en pleine forme, très heureuse. Ses parents et sa tante Doris, qui habite chez eux, font tout ce qu'ils peuvent pour lui faire plaisir. Ah ! que c'est bon d'être chez soi dans sa famille ! Maman avait raison, je suppose, Chris et moi nous avions une attitude négative. Mais c'est bien fini !

25 décembre.

Cher journal, aujourd'hui, c'est Noël et j'attends avec impatience le réveil de la famille pour que nous puissions tous déballer nos cadeaux. Mais avant, quand je suis encore toute seule, je veux consacrer quelques minutes à ce jour sacré, personnellement. Je veux faire mon examen de conscience et prendre des résolutions, pour pouvoir chanter avec les autres *Oh ! venez les fidèles ! joyeux et triomphants,* car je suis triomphante, cette fois je le suis vraiment !

26 décembre.

Les lendemains de Noël sont généralement tristes mais cette année j'étais ravie d'aider maman et grand-maman à tout ranger et tout nettoyer. Je me sens adulte ! Et j'adore ça ! Les grandes personnes m'ont acceptée comme une entité, une personnalité, un individu. Je ne suis plus à l'écart ! Je suis importante ! Je suis quelqu'un !

L'adolescence est une époque vraiment désagréable ; on ne se sent pas en sécurité, les grandes personnes nous traitent comme des enfants tout en attendant de nous que nous nous conduisions en adultes. Elles nous donnent des ordres, comme à de petits animaux, et puis elles espèrent que nous réagirons comme de vrais adultes, raisonnables. C'est une époque pénible, difficile, perdue. J'ai peut-être surmonté le plus mauvais moment. Je l'espère, en tout cas, parce que je sais que je n'aurai jamais la force ni la volonté de repasser par là.

28 décembre.

J'ai regardé toutes nos cartes de Noël et j'en ai trouvé une des parents de Roger. Ça m'a fait une impression épouvantable. Si seulement sa famille et la mienne avaient pu être apparentées ! Mais c'est fini et je dois cesser de me torturer. Aussi bien, ce n'était qu'un petit béguin d'enfant sans importance.

29 décembre.

Papa et maman organisent un réveillon du Jour de l'An et vont inviter tous les collègues de papa. Ce sera certainement très amusant. Grand-maman va nous faire sa timbale de poulet aux brocolis qui est terrible, et ses gâteaux à l'orange. Mmmm ! Elle a promis de me permettre de l'aider, et Chris va venir aussi.

30 décembre.

Les vacances continuent, et je suis heureuse, heureuse, du matin au soir !

31 décembre.

Bientôt une nouvelle année merveilleuse va commencer pour moi. Comme je suis heureuse, humblement, d'être débarrassée de celle-ci ! Elle ne me paraît pas vraie ! J'aimerais bien pouvoir l'arracher de ma vie comme les pages d'un calendrier, tout au moins les six derniers mois. Comment, mais comment est-ce qu'une chose pareille a pu m'arriver ? À moi, qui appartiens à une si bonne famille, si convenable, si aimante ! L'année nouvelle sera différente, pleine de promesses et de vie. Je voudrais qu'il existe un moyen d'effacer pour toujours et à jamais mes horribles cauchemars, mais comme il n'y en a pas, je dois les enfouir dans les recoins les plus sombres et les plus inaccessibles de mon cerveau, où ils se recouvriront peut-être de poussière et seront oubliés. Mais ça suffit comme ça ! Il faut que je descende aider maman et grand-maman. Nous avons un million de choses à faire avant le réveillon. Allez, debout !

1er janvier.

Le réveillon a été follement gai. Je n'aurais jamais cru que les amis de papa pouvaient être aussi intéressants et drôles. Certains messieurs ont parlé de quelques invraisemblables procès, et des jugements incroyables qui ont été rendus. Une vieille multimillionnaire excentrique a laissé toute sa fortune à deux vieux chats de gouttière, qui portaient des colliers incrustés de diamants tandis qu'ils allaient farfouiller dans les poubelles. Dans son testament, elle exigeait que les chats restent entièrement libres de se livrer à leurs instincts naturels. Alors le tribunal a désigné quatre gardiens de chats à plein temps, pour veiller sur eux nuit et jour. J'ai pensé que les messieurs qui racontaient cette histoire exagéraient, elle était si désopilante, mais je n'en suis pas sûre. Ce sont peut-être simplement de bons conteurs.

Certains parents ont parlé des trucs dingues que leurs gosses ont fait et papa a raconté fièrement certaines de mes incartades ! Je n'en revenais pas !

À minuit, tout le monde s'est coiffé d'un chapeau de papier, on a sonné des clochettes, tapé dans des gongs, etc., et puis nous avons soupé ; grand-maman, Chris, Tim et moi, nous faisions le service.

Nous ne nous sommes pas couchés avant quatre heures du matin et puis ça a été le meilleur moment.

Quand tous les invités sont partis, toute la famille et Chris, nous nous sommes mis en pyjama et nous avons rangé la maison et fait la vaisselle, et nous nous sommes détendus, aussi heureux que nous pouvions l'être. Grand-papa lavait la vaisselle dans l'évier, avec de la mousse jusqu'aux aisselles en chantant à tue-tête. Il disait que la machine à laver la vaisselle n'allait pas assez vite, et papa courait dans tous les sens, apportait des piles d'assiettes et se léchait les doigts. C'était vraiment terrible ! Je me demande si les autres invités se sont amusés comme nous, et si Chris n'aurait pas préféré fêter le nouvel an avec ses parents... mais ils étaient invités à un autre réveillon. Je suppose que ce sont de ces choses que nous ne saurons jamais, et dans le fond elles n'ont guère d'importance.

4 janvier.

Demain, je retourne à l'école. Il me semble qu'il y a des siècles que je l'ai quittée, et pourtant cela ne fait que la moitié d'un trimestre. Mais je te jure, cher journal, que je vais l'apprécier, à présent. Je vais apprendre à *hablar español*, comme une vraie Andalouse. Dans le temps, je trouvais les langues étrangères idiotes, mais je comprends maintenant que c'est très important de pouvoir communiquer avec des gens, avec tout le monde.

5 janvier.

Chris est dans la classe au-dessus, mais nous déjeunons ensemble. J'avoue que j'ai du mal à me remettre dans le coup.

6 janvier.

Quel choc affreux ! Aujourd'hui, Joe Driggs m'a abordée et m'a demandé si j'en avais. J'avais presque oublié, sincèrement, qu'il y a si peu de temps j'étais revendeuse ! Mon Dieu, j'espère que ça n'ira pas plus loin, que personne d'autre ne viendra me demander de la drogue ! Au début, Joe ne voulait pas croire que j'avais laissé tomber. Il souffrait vraiment du manque et il m'a suppliée de lui procurer n'importe quoi. J'espère que George n'en saura rien.

7 janvier.

Pas question de drogue aujourd'hui. J'espère de tout mon cœur que Joe aura passé la consigne.

8 janvier.

On nous a parlé d'une partie, ce week-end, mais j'ai demandé à maman si Chris ne pouvait pas venir passer le samedi et le dimanche à la maison. Je suis sûre que je n'aurais pas été tentée, mais j'aime autant ne pas courir de risques. Et j'ai dit à maman la vérité (enfin presque), je lui ai dit qu'une bande de gosses un peu trop dans le vent essayaient de nous droguer et que nous aurions besoin du soutien de notre famille pendant quelque temps. Maman était très heureuse que je me sois confiée à elle et elle m'a promis qu'avec papa elle essayerait de nous organiser des sorties intéressantes ces prochains week-ends et ver-rait si les parents de Chris ne voudraient pas prendre la relève ensuite. Ça m'a fait chaud au cœur de voir que nous communiquions, et pas seulement verbalement ! J'ai vraiment une famille fantastique !

11 janvier.

Avec la famille et Chris j'ai passé le week-end à la montagne. C'était formidable ! Papa s'était fait prêter un chalet par un type avec qui il travaille, et après avoir trouvé comment brancher l'eau et allumer la chaudière, c'était terrible. Il a neigé pendant la nuit et nous avons dû dégager la voiture avec des pelles, mais c'était vraiment très agréable. Papa nous a promis de se faire prêter ou de louer ce chalet très souvent. Ce sera fantastique de s'y retrouver tous les week-ends.

13 janvier.

George m'a invitée à sortir, vendredi soir. C'est plutôt un cave mais c'est plus sûr.

14 janvier.

Lane est venu me trouver à l'heure du déjeuner, et il m'a suppliée de lui trouver un nouveau contact. Le sien s'est fait embarquer et il souffre beaucoup. Il m'a tordu le bras et j'ai des bleus partout, et il m'a fait promettre de lui trouver au moins une dose pour ce soir. Je ne sais pas du tout où je pourrais la lui trouver. Chris m'a suggéré de demander à Joe, mais je ne veux plus rien avoir à faire avec cette bande-là.

J'ai si peur que j'en suis malade ; en fait je suis vraiment malade.

15 janvier.

Chère innocente maman ! Lane m'a téléphoné deux fois hier soir et il a insisté pour me parler mais maman a senti que quelque chose n'allait pas et elle lui a répondu que j'étais malade et qu'on ne pouvait absolument pas me déranger. Elle m'a même conseillé de ne pas aller à l'école aujourd'hui... c'est pas croyable ! Je n'en reviens pas, elle qui tient tant à ce que je ne manque jamais un cours ! Tout de même, je suis reconnaissante qu'elle s'occupe de moi comme ça, et j'aimerais bien pouvoir me confier à elle. Je me demande si Lane est au courant de ce qui s'est passé entre Richie et moi ?

17 janvier.

George m'a emmenée à un bal de l'école mais la soirée a été gâchée parce que Joe et Lane n'ont pas cessé de me tarabuster. George voulait savoir ce qui se passait, alors je lui ai dit que Lane était jaloux parce qu'il m'avait invitée et j'avais refusé. Dieu merci, la musique était assez assourdissante et nous ne pouvions guère causer. Mais j'aimerais bien qu'ils me fichent la paix !

20 janvier.

Papa a du travail et il ne peut pas nous emmener à la montagne ce week-end, mais au moins nous aurons de quoi nous occuper. Maman a dit qu'elle m'aiderait à me faire un nouveau tailleur-pantalon en vinyl qui ressemble à du cuir.

20 janvier.

Gloria et Babs m'ont attendue après l'école et ont voulu faire un bout de chemin avec moi. Je ne savais pas comment me débarrasser d'elles sans être grossière et hostile, mais j'aimerais bien qu'ils me fichent la paix, tous. Maman est passée en voiture au moment où nous tournions le coin d'Elm Street, et je lui ai fait signe. Mais alors, c'en était trop ! Pendant tout le trajet, jusqu'à la maison, maman n'a pas arrêté de répéter que Gloria et Babs étaient vraiment de gentilles filles et qu'elle serait heureuse que j'aie d'autres amies comme elles au lieu de rester tout le temps avec Chris. Si seulement elle savait ! Si elle savait !

24 janvier.

Zut, zut, zut et rezut ! J'ai recommencé. Je ne sais pas si je dois pousser des cris de joie ou me couvrir la tête de cendres et m'habiller d'un sac ou je ne sais quoi. Tous ceux qui prétendent qu'il n'y a pas d'accoutumance si on prend de l'herbe ou de l'acide sont des foutus ignorants imbéciles ! Je me défonce avec ces trucs-là depuis le 10 juillet, et chaque fois que j'ai laissé tomber j'ai cru mourir de peur à la pensée de tout ce qui peut ressembler à la drogue. Et comme une idiote je croyais que je pouvais en prendre et laisser tomber aussi sec !

Tous les gosses stupides qui se figurent qu'ils peuvent simplement s'amuser à y goûter n'existent en réalité que d'une prise à une autre. Quand on a commencé, il n'y a plus de vie possible sans drogue, mais c'est une existence dégueulasse d'esclave. Et pourtant je suis ravie d'y retourner. Heureuse ! Heureuse ! Ça n'a jamais été meilleur qu'hier soir. Chaque nouvelle fois est la meilleure et Chris est comme moi. Hier soir, quand elle m'a téléphoné pour me demander de venir la voir, j'ai compris qu'il s'était passé quelque chose d'horrible. Elle paraissait perdue, comme si elle ne savait plus quoi faire. Mais quand je suis arrivée chez elle et que j'ai reniflé cette odeur incroyable, je me suis assise par terre dans sa chambre et j'ai pleuré et fumé. C'était si beau, si merveilleux que nous nous demandions comment nous avions pu nous en passer pendant si longtemps. Jamais je ne pourrais trouver les mots pour exprimer cette sensation merveilleuse.

Plus tard, j'ai téléphoné à maman et je lui ai dit que je passais la nuit chez Chris parce qu'elle se sentait un peu déprimée. Déprimée ? Personne au monde sauf un camé ne peut savoir ce qu'est le contraire parfait de la dépression.

26 janvier.

Chris a un peu honte mais je suis enchantée que nous ayons repiqué au truc, nous faisons partie du monde ! Le monde nous appartient ! Ce pauvre vieux George va devoir disparaître de la scène comme un cave. Il est passé me chercher après l'école et je n'aurais pas pu m'en fiche davantage. Je n'ai même plus besoin de lui comme chauffeur.

30 janvier.

J'ai vu Lane aujourd'hui et il est vraiment extraordinaire. Il a trouvé un nouveau contact et il peut me fournir tout ce que je veux. Alors je lui ai dit que je préférais les stimulants. Pourquoi descendre quand on peut monter au-dessus des nuages ? Pas vrai ?

6 février.

La vie est vraiment incroyable, à présent. Le temps est éternel et cependant tout se précipite à toute vitesse. J'adore ça !

Maman est très contente que je sois de nouveau « in ». Elle aime entendre le téléphone sonner tout le temps pour moi. De quoi se marrer !

13 février.

Lane s'est fait agrafer hier soir. Je ne sais pas comment on l'a repéré mais je suppose qu'il en fourguait trop et trop vite à ses petites copines. Je me félicite de ne pas avoir été là. Mes parents, qui sont si gentils, si naïfs et innocents, ne me laissent pas sortir tard le soir, en semaine. Ils essayent de me protéger des vilains messieurs. Au fond, je ne me fais pas de souci pour Lane. Il a tout juste seize ans, alors ils ne lui feront pas grand-chose, ils lui donneront une tape sur les doigts, probable.

18 février.

Notre source s'est plus ou moins tarie, maintenant que Lane se tient à carreau, mais Chris et moi ne manquons pas de ressources. Enfin, on se débrouille.

Je crois que je vais me mettre à prendre la pilule. Ce sera moins pénible que de me faire du souci. Je parie qu'il est plus difficile de se procurer la pilule que de la drogue, ce qui prouve à quel point ce monde où nous vivons est dingue !

23 février.

Cher journal,
Quelle histoire ! Hier soir, ils ont perquisitionné chez Chris pendant que ses vieux et sa tante étaient sortis, mais Chris et moi on a joué le jeu en plein. Ce grand flic en bleu hochait tristement la tête tandis que nous jurions à nos parents que c'était la première fois et qu'il ne s'était rien passé. Dieu soit loué qu'ils soient arrivés quand on avait encore toute notre tête ! Je me demande comment ils ont su que nous étions là ?

24 février.

Ça, c'est la meilleure ! Maman s'inquiète et fait de discrètes allusions, elle a peur qu'il soit arrivé quelque chose à son petit bébé, mais elle n'ose pas employer de mots précis. Elle voudrait que j'aille consulter le docteur Langley ! Il y a de quoi se tordre !
Il m'a fallu un moment pour lui jouer la comédie de l'innocence et de l'ignorance, en ouvrant de grands yeux, comme si je ne savais pas de quoi elle voulait parler, et le plus beau c'est que finalement elle s'est sentie coupable d'avoir soupçonné une chose pareille !
Nous avons tous été mis à l'épreuve et nous ne devons plus nous voir, et papa et maman m'envoient

chez un psychanalyste à partir de lundi. Ça doit être une espèce de marché qu'ils ont conclu pour que je ne passe pas en justice. Le bruit court que Lane a été expédié dans une clinique de désintoxication. À ce qu'il paraît, c'était sa troisième récidive. Je ne le savais pas. En tout cas, il ne peut pas m'accuser puisque j'ai été ramassée dans le coup de filet. Pour moi, au moins, c'est la première fois. Je suppose que j'ai de la chance.

27 février.

Papa et maman me surveillent, à croire que j'ai six ans. Il faut que je rentre tout droit de l'école, comme si j'étais un bébé. Ce matin, quand je suis partie, maman m'a dit : « Surtout rentre tout droit après l'école ! » Dingue ! Comme si j'allais me défoncer à trois heures de l'après-midi ! C'est quand même pas si grave.

Plus tard.

Après dîner, j'ai voulu aller au drugstore acheter des crayons de couleur pour finir ma carte de géographie et j'ouvrais la porte quand maman a appelé Tim pour lui dire de m'accompagner. C'est vraiment le bouquet ! Me faire surveiller par mon petit frère ! Ça ne lui plaisait pas plus qu'à moi. J'ai presque eu envie de demander à Tim pourquoi elle voulait qu'il vienne avec moi ! Ça aurait été bien fait pour lui. Ce serait bien fait pour eux tous. Je sais ce que je devrais faire, je devrais brancher Tim ! Je le ferai peut-être ! Je lui ferai peut-être la surprise d'un voyage sur un bonbon ! Ça serait quelque chose.

1ᵉʳ mars.

J'en ai ma claque. J'ai envie de foutre le camp. J'ai les nerfs à vif, je suis dans un tel état que c'est tout juste si je peux aller au petit coin toute seule.

2 mars.

Aujourd'hui, je suis allée chez le réducteur de têtes, un gros petit bonhomme horrible qui n'a pas même assez de couilles au cul pour perdre du poids. Oh ! papa, je lui recommanderais bien des amphétamines, ça lui couperait l'appétit et ça l'enverrait en l'air par la même occasion. C'est ce qu'il lui faudrait, probable, à le voir avec ses yeux brillants derrière ses lunettes qui attend que je lui raconte du saignant. Il est encore pire que ce qui m'est arrivé jusqu'ici.

5 mars.

Jacquie m'a passé deux copilotes, en cours d'anglais, quand elle a distribué les copies. Ce soir, quand tout le monde sera couché, je me défoncerai toute seule. Ah ! que je suis impatiente !

(?)[1]

Me voilà à Denver, papa, quand j'étais en plein voyage, je suis sortie de la maison et je suis venue en stop, mais à présent c'est tout calme, dingue, irréel,

---

1. Ce qui suit ne porte pas de dates. Ces notes ont été écrites sur des feuilles volantes, au dos d'enveloppes, sur des sacs en papier, etc.

peut-être parce qu'il est encore tôt. Je l'espère, j'ai juste les vingt dollars que j'ai piqués dans la poche du pantalon de papa, mais j'ai pas de source.

(?).

Je crèche avec deux gosses que j'ai rencontrés, mais ils trouvent qu'ici c'est plutôt mort alors on va partir pour l'Oregon, voir ce qui se passe à Coos Bay. On a assez d'acide pour rester défoncés pendant encore quinze jours ou pour l'éternité, et y a que ça qui compte.

Mars...

Je n'ai rien à me mettre, sauf les frusques que j'avais sur le dos en quittant la maison et je suis si sale que j'ai l'impression qu'elles me collent à la peau. Il neigeait à Denver mais ici, en Oregon, le temps est si humide, la pluie si pénétrante, que c'est vachement pire. J'ai un foutu rhume de cerveau et je me sens dans le trente-sixième dessous et mes règles ont commencé et j'ai pas de Tampax. Merde, j'aimerais avoir de quoi me piquer.

(?)

La nuit dernière, j'ai dormi dans le parc, sous un buisson, et aujourd'hui il pleut et je retrouve plus les gosses avec qui je suis venue de Denver. Finalement, je suis entrée dans une église et j'ai demandé au sacristain ou au concierge ou je ne sais quoi ce que je devais faire. Il m'a dit de m'asseoir en attendant qu'il ne pleuve plus et puis d'aller à une espèce de turne de l'Armée du Salut. J'ai pas le choix, probable, parce que j'ai la fièvre et je suis trempée et si sale que je peux pas me sentir. J'ai essayé de me servir des serviettes en papier des toilettes comme Kotex et, papa, c'est vraiment la poisse. Ah ! si seulement j'avais de quoi monter au Ciel !

C'est une très chouette église, petite, calme et très propre. Je me sens terriblement déplacée ici, et je commence à me sentir si seule qu'il faut que je foute le camp. Autant aller chercher cette mission ou je ne sais quoi, sous la pluie. J'espère que les foutues serviettes en papier vont pas dégringoler en plein milieu de la rue.

Plus tard.

C'est vraiment une maison formidable ! Ils m'ont fait prendre une douche, et ils m'ont donné des vêtements propres de caves, et des Kotex, et on m'a donné à manger même quand je leur ai dit que je marchais pas avec leurs règlements réguls. Ils veulent que je reste ici quelques jours, et contacter mes parents pour essayer d'arranger les choses et que je m'entende avec eux. Mais mes parents vont pas me laisser prendre d'acide, ni d'herbe et c'est pas demain la veille que j'y renoncerai ! Le gars est vraiment très chouette. Il va même me conduire dans un centre de santé pour faire soigner mon rhume. Je me sens vraiment à plat mais le bon docteur me donnera peut-être quelque chose pour me remonter ! Dingue ! N'importe quoi ! J'aimerais bien que ce jeune con se grouille de faire ce qu'il fabrique pour qu'on puisse partir.

On est toujours le... je ne sais plus quel jour. J'ai rencontré une fille, Doris, dans la salle d'attente du toubib, qui dit que je peux venir crécher chez elle parce que le couple avec qui elle vivait et son petit ami ont mis les bouts la nuit dernière. Et puis le toubib m'a fait une piqûre et m'a donné un flacon de vitamines ! Je te demande un peu, des vitamines ! Il dit que je suis sous-alimentée, comme la plupart des gosses du coin. Mais c'est un brave type. Il avait l'air de s'inquiéter pour moi et il m'a dit de revenir dans quelques jours. Je lui ai dit que j'avais pas un flèche et ça l'a fait rire et il m'a répondu qu'il aurait été bien surpris si j'avais eu de l'oseille.

(?)

Enfin cette saloperie de pluie a cessé. Doris et moi on s'est baladées partout à Coos Bay. Il y a des boutiques au poil ! Je lui ai parlé de celle qu'on avait à Berkeley, Chris et moi, et Doris voudrait bien qu'on se trouve un magasin quand on aura un peu de fric, mais au fond ça n'a plus d'importance. Doris a tout un pot d'herbe et on aura de quoi se faire des sticks pour un bout de temps. Nous sommes assez défoncées et tout semble formidable, bien que je traîne le cul.

(?)

C'est vraiment chouette d'être en vie ! J'adore Coos Bay et j'adore l'acide ! Les gens d'ici, dans notre quartier du moins, sont beaux, beaux ! Je peux parler comme je veux, m'habiller comme ça me plaît et tout le monde s'en fout. Rien que de regarder les posters dans les vitrines des magasins ou d'aller faire un tour jusqu'à la station des cars pour regarder les gens qui arrivent ou qui partent, c'est formidable. Nous avons trouvé une boîte où on fabrique des posters et je vais aider Doris à en couvrir les murs quand nous aurons ramassé quatre ronds. On est passées au *Coffee House* et au *Digger* et au *Psychadelic Shop*. Demain, nous irons voir le reste de la ville. Doris est là depuis deux ou trois mois et elle connaît tout et tout le monde. J'ai failli tomber sur le cul quand elle m'a dit qu'elle n'avait que quatorze ans ! Je croyais qu'elle était petite pour son âge mais qu'elle en avait au moins dix-neuf !

(?)

Hier soir, Doris était vraiment en pleine déforme. Nous n'avons plus d'herbe, plus de fric, et nous avons faim et cette foutue pluie dégueulasse recommence à tomber. Dans notre petite chambre, nous n'avons qu'un réchaud à gaz qui ne chauffe pas du tout. J'ai l'impression que mes oreilles et mes sinus sont pleins de béton, et qu'une barre d'acier me serre la poitrine. On sortirait bien pour essayer de se faire payer à bouffer, ou faire la manche, mais avec cette pluie ça ne vaut pas le coup, alors il faudra nous contenter de nouilles et de flocons d'avoine secs. Nous avons toujours dit que nous détestions les touristes et les mendiants et les gars bidon, mais je crois que demain je vais aller faire comme eux et mendier assez d'oseille pour bouffer et nous payer une dose. Doris et moi, nous en avons foutrement besoin.

Ah ! je ne sais pas ce que je ferais pour me défoncer, je rêve qu'on me fasse une piqûre de n'importe quoi. Il paraît que l'élixir parégorique, c'est formidable. Ah ! merde, j'aimerais me procurer n'importe quoi pour sortir de ce pétrin dégueulasse.

J'ai dormi, et je ne sais plus si c'est le même jour, la même semaine ou la même année, mais qu'est-ce que ça peut foutre, après tout ?

La foutue pluie est encore pire qu'hier. On dirait que tout le ciel nous pisse dessus. J'ai voulu sortir, mais avec mon rhume j'ai été glacée jusqu'à l'os avant même d'arriver au coin de la rue, alors je suis rentrée et je me suis couchée toute habillée, je me suis roulée en boule pour essayer de me réchauffer et de ne pas mourir. Je dois avoir une grosse fièvre parce que de temps en temps je perds les pédales, je perds connaissance et c'est vraiment la seule chose qui m'empêche de la casser. Ah ! si seulement je trouvais une dose ! J'en ai besoin à crier, j'ai envie de hurler et de me taper la tête contre les murs et de grimper aux rideaux. Il faut que je foute le camp d'ici. Il faut que je mette les voiles avant de perdre la tête. J'ai peur, je me sens seule, et je suis vraiment malade. Plus malade que je ne l'ai jamais été de ma vie.

Je m'appliquais à ne pas penser à ma maison et puis Doris s'est mise à me raconter sa vie, et maintenant je suis vraiment à ramasser à la petite cuiller. Bon Dieu, si seulement j'avais un peu de fric, je rentrerais chez moi, ou au moins je téléphonerais. Demain je retournerai à cette église et je leur demanderai d'appeler mes parents. Je ne comprends pas comment j'ai pu me conduire aussi mal, comment j'ai pu être aussi conne, alors que j'avais une si bonne famille. La pauvre Doris n'a jamais rien connu que de la merde depuis l'âge de dix ans. Sa mère s'était déjà mariée quatre fois avant que Doris ait dix ans, et elle avait eu je ne sais pas combien d'amants entre-temps. Et quand Doris a eu onze ans, son beau-père du moment s'est mis à la baiser pour de bon, et cette pauvre idiote ne savait pas comment s'en débarrasser parce qu'il avait juré de la tuer si jamais elle en parlait à sa mère ou à quelqu'un d'autre. Alors elle a supporté ce salaud pendant plus d'un an. Et puis un jour il lui a fait tellement mal qu'elle a expliqué à son prof de gym pourquoi elle ne pouvait pas faire les exercices. Le prof s'est arrangé pour la mettre dans une maison d'enfants en attendant de lui trouver des parents adoptifs, mais pas de veine, elle est tombée dans une famille où il y avait deux frères qui l'ont fait passer à la casserole et plus tard une fille l'a branchée sur la drogue et elle lui a appris à se gouiner si bien que depuis ce temps-là Doris baisse sa culotte et couche avec n'importe qui. Mon Dieu, Seigneur, j'en ai marre, je veux sortir de cet égout ! J'ai peur de m'y noyer ! Il faut que je foute le camp, vite, quand il en est encore temps ! Demain sans faute ! Dès que la foutue saloperie de pluie aura cessé !

(?)

La sacrée pluie a enfin cessé ! Le ciel est aussi bleu qu'il devrait toujours l'être et il paraît que dans cette région c'est extraordinaire. Il va y avoir un ral-lye en Californie, dans le Sud. Chouette ! Doris et moi, nous allons pouvoir foutre le camp de ce sale coin de mon cul ! Youpi ! Californie, nous voilà !

J'en ai marre, marre, marre, j'en suis littéralement malade. J'ai envie de vomir sur ce foutu monde de merde. On a fait plus de la moitié du chemin avec un sale gros routier sadique, qui bandait en faisant mal à Doris et en la regardant pleurer. Quand il s'est arrêté pour de l'essence nous avons filé en douce, toutes les deux, bien qu'il nous ait menacées. Oh ! papa, quel fumier ! Alors on a fait du stop et on a été ramassées par une bande comme nous, qui nous ont fait goûter de leur herbe, mais ça devait être un truc maison, parce que c'était si foutrement faible que c'est tout juste si nous avons pu quitter le plancher des vaches.

Le rallye était chouette, de l'acide, de l'herbe et de tout à gogo. Encore maintenant les couleurs me coulent dessus et le carreau fêlé de la fenêtre est d'une beauté terrible. Cette vie est merveilleuse. C'est si beau que je ne peux pas le supporter. Et j'en fais partie ! Tous les autres gens ne font qu'encombrer la terre. Bougres de cons. Je voudrais leur enfoncer la vie dans la gorge et ils comprendraient peut-être ce que ça signifie.

Près de la porte une grosse fille aux longs cheveux blonds sales se met à genoux sur un tapis vert, vert et violet. Elle est avec un type et il a un anneau dans le nez et des tatouages de toutes les couleurs sur son crâne rasé. Ils se regardent en se répétant « amour ». C'est très beau à voir. Les couleurs se fondent et se mélangent. Les gens se mélangent. Les couleurs et les gens font l'amour.

Je ne sais plus où j'en suis, ni quoi, ni qu'est-ce, ni qui ! Je sais seulement que je suis à présent une prêtresse de Satan qui essaye de tenir le coup après une équipée sauvage de la liberté.

(?)

Cher journal,
J'en veux à tout le monde, je m'emmerde, je suis à cran. Vraiment, je ne sais plus où j'en suis. Je ne sais pas ce qui m'arrive parce que maintenant quand je suis devant une fille c'est comme si c'était un garçon. Je suis tout excitée. Je voudrais baiser la fille, tu sais, et puis ça me fait peur. Je me sens en pleine forme et en même temps déponnée. Je voudrais me marier, avoir des enfants, une famille, mais j'ai peur. J'aimerais mieux plaire à un gars qu'à une fille. J'aimerais mieux baiser avec un garçon, mais je ne peux pas. Je ne sais pas ce qui m'arrive. J'ai parfois envie qu'une fille m'embrasse, je voudrais qu'elle me caresse, qu'elle se couche et dorme sous moi, mais quand j'y pense, je me fais horreur. Je me sens coupable et ça me rend malade. Et puis je pense à ma mère. Je rêve de lui crier que je rentre à la maison et qu'elle me fasse de la place à côté d'elle parce que je suis un homme. Et puis j'ai mal au cœur, et je coucherais avec n'importe qui. Je ne vais pas bien, vraiment.

Cher journal,
Plus tard, un millier d'années-lumière après, heure lunaire. Tout le monde raconte des histoires, sauf moi. Je n'ai rien à raconter. Tout ce que je peux faire, c'est

de dessiner des monstres et des organes intimes et de
la haine.

(?)

Un jour de plus, encore un pompier. Les flics ont
mis le grappin sur la ville qui est sèche à pleurer. Si
je ne fais pas une pipe à Gros Cul il va me couper
les vivres. Bon Dieu, je tremble, j'ai l'estomac crispé,
noué. Un monde sans drogue, quelle saloperie ! Le
fumier qui veut que je lui taille une plume sait bien
que je suis à cran, que je souffre du manque, mais
c'est le seul qui peut me fournir ce que je veux. Je
suis prête à faire le ruban, à me taper tous les Riches
Philistins et les Gras du Bide, la terre entière pour
une dose. Ce foutu Gros Cul exige que je lui fasse
tout avant de me donner ma came. Dans la carrée, ils
sont tous couchés comme des morts et le petit Jacon
hurle : « Maman, papa ne peut pas venir, il baise
Carla. » Il faut absolument que je me tire de ce trou
pourri.

(?)

Je ne sais quelle heure il est, ni même quel jour
ou quelle année, je ne sais plus dans quelle ville je
suis. J'ai dû avoir un passage à vide, ou alors on
m'aura refilé des mauvaises pilules. La fille assise sur
l'herbe à côté de moi est blême, elle a un sourire de
Joconde et elle a le ballon. Je lui ai demandé ce
qu'elle allait faire du bébé et elle m'a simplement
répondu : « Il appartiendra à tout le monde. Il sera à
nous tous. »

Je voulais partir, chercher quelqu'un qui fourguait, mais ce truc du bébé m'a vraiment choquée. Alors je lui ai demandé un stim, mais elle a secoué la tête comme une idiote, l'air vague, et j'ai compris qu'elle était complètement envapée. Derrière cette belle figure défoncée, il n'y a que des cendres et elle est plantée là comme une connasse qui ne peut rien faire.

Enfin moi, je ne suis pas envapée ni enceinte. À moins que je le sois. Je ne pourrais pas prendre la foutue pilule, même si j'en avais. Aucune camée ne peut là prendre parce qu'on ne sait jamais quel jour on est. Alors, aussi bien, je suis peut-être enceinte. Et après ? Il y a un étudiant en médecine qui traîne dans le coin et qui m'arrangera ça. À moins qu'un foutu dingue me casse la gueule pendant une séance et je le perdrais facile. Ou alors la dégueulasserie de bombe éclatera demain. Qui peut savoir ?

Quand je vois tous ces traîneurs de cul du coin, je pense que nous sommes vraiment une bande de bons à lape. On est à ressaut si quelqu'un nous dit ce que nous devons faire, mais nous ne savons pas quoi faire à moins qu'un gros con vienne nous le dire. Nous laissons quelqu'un d'autre penser et agir pour nous. Les caves construisent les maisons, les routes, fabriquent les bagnoles, font marcher l'électricité et l'eau et le gaz et les égouts. Et nous, nous restons sur notre cul, la main tendue et l'esprit en éruption. Bon Dieu, j'ai l'air d'une foutue bourgeoise, et je n'ai même pas une dose pour m'ôter le mauvais goût de la bouche ou chasser mes pensées pourries.

Quand ?

Une goutte de pluie vient de s'écraser sur mon front et elle m'a fait l'effet d'une larme tombant du ciel. Est-ce que les nuages et les cieux pleurent sur moi, vraiment ? Est-ce que je suis réellement seule dans ce monde gris et triste ? Est-il possible que Dieu lui-même pleure pour moi ? Oh ! non... non... non... Je deviens folle. Mon Dieu, je vous en supplie, aidez-moi.

(?)

Je vois le ciel et je pense que c'est le matin. Je viens de lire un journal que le vent a chassé vers moi. Il paraît qu'une fille a accouché dans le parc, une autre a fait une fausse couche, et deux garçons inconnus sont morts pendant la nuit d'une *overdose*. Ah ! que je voudrais que ce soit moi !

Un autre jour.

J'ai fini par aller voir un vieux prêtre qui comprend vraiment les jeunes. Nous avons parlé longtemps des gosses qui partent de chez eux et pourquoi, et puis il a téléphoné à papa et maman. En attendant qu'il obtienne la communication je me suis regardée dans une glace. Je n'arrive pas à croire que j'ai si peu changé. Je croyais me voir vieille, hâve et grise, mais je suppose que c'est seulement mon moi intérieur qui s'est ratatiné et détérioré. Maman a répondu au téléphone dans le living-room et papa est monté en courant pour décrocher le poste annexe, et nous avons parlé en même temps tous les trois. Je ne comprends pas comment ils peuvent encore m'aimer ! Mais ils m'aiment ! Ils m'aiment ! Ils veulent m'avoir auprès d'eux ! Ils étaient fous de joie d'avoir de mes nouvelles. Et ils ne m'ont pas grondée, il n'y a pas eu de récriminations, ni de sermons, ni rien. C'est curieux, mais chaque fois qu'il m'arrive quelque chose, papa abandonne tout, le monde entier, ses affaires, et se précipite à mon secours. Je crois bien que s'il faisait partie d'une mission de paix, s'il était responsable de l'humanité tout entière et des galaxies, il laisserait tout tomber pour venir vers moi. Il m'aime ! Il m'aime ! Il m'aime ! Vraiment ! Je voudrais bien pouvoir m'aimer moi-même. Je ne comprends pas comment j'ai pu traiter ma famille comme je l'ai fait. Mais je vais me racheter, je leur revaudrai ça, j'en ai fini pour de bon avec cette merde. Je ne veux même plus en parler, ni même y penser. Je vais passer le reste de ma vie entière à leur faire plaisir.

Cher journal,
Je ne pouvais pas dormir alors j'ai erré dans les rues. J'ai l'air plutôt cave parce que je ne veux pas paraître bizarre quand mes parents arriveront. J'ai relevé mes cheveux en queue de cheval et j'ai échangé mes frusques dingues avec la fille la plus tarte que j'ai pu trouver et je suis chaussée d'une vieille paire de tennis blanches que j'ai trouvées dans une poubelle. Au début, les gosses avec qui j'ai discuté au café ont fait la tête en me voyant habillée comme ça, mais quand je leur ai dit que mes parents allaient venir me chercher, ils ont tous été très heureux.
Ça paraît inconcevable que tout le temps qu'on était à Berkeley, Chris et moi, on n'a jamais rien su

des autres gosses. Mais ce soir, j'ai entendu parler de Mike, de Marie et Heidi et Lilas et tous les autres. Je vais probablement utiliser toutes les pages qui restent pour parler d'eux mais c'est aussi bien parce que je veux avoir un cahier tout neuf, une fois rentrée à la maison. Toi, mon cher journal, tu représenteras mon passé. Et celui que j'achèterai en rentrant sera mon avenir. Alors je dois maintenant me dépêcher d'écrire tout ce que je sais des gens que j'ai rencontrés cette nuit. Je suis stupéfaite que tant de parents et de gosses ont des histoires à cause de leurs cheveux ! Mes parents me cassaient toujours les pieds à propos de ma coiffure. Ils voulaient que je me frise, ou que je me coupe les cheveux, ou que je les relève, que je ne les aie plus dans les yeux, etc. Parfois je pense que c'était notre principale pomme de discorde. J'ai rencontré Mike au café et, après lui avoir expliqué ma situation, j'ai exprimé ma curiosité, parce qu'en ce moment je me demande vraiment pourquoi les gosses foutent le camp de chez eux, alors il est devenu très communicatif et il m'a dit que les cheveux avaient été aussi un de ses gros problèmes. En fait, son père s'est mis tellement en colère que Mike a dû se faire raser les pattes et la nuque deux fois ! Mike dit que ses parents le privaient de liberté et de son pouvoir de décision. Il devenait déshumanisé, mécanisé, on le forçait à imiter son père. Il n'avait même pas le droit de choisir les sujets qu'il voulait étudier à l'école ! Il disait qu'il voulait faire de l'art, mais ses parents pensaient que seuls les clodos et les faibles étaient des artistes. Finalement, il a foutu le camp pour préserver sa personnalité et sa santé mentale. Alors j'ai parlé à Mike de l'église, et des efforts qu'ils ont fait pour mener à bien une nouvelle entente humaine entre mes parents et moi. J'espère qu'il ira les voir, ces gens de l'église.

Et puis j'ai causé avec Alice, que j'ai rencontrée, complètement défoncée et assise sur le trottoir. Elle ne savait pas si elle fuyait quelque chose ou si elle cherchait quelque chose, mais elle m'a avoué qu'au fond de son cœur elle aimerait bien rentrer chez elle.

Tous les autres, avec qui j'ai parlé, ceux qui avaient des parents et un foyer, tous semblaient vouloir rentrer chez eux, mais pensaient que ce n'était pas possible parce que alors ils renonceraient à leur identité. Ça m'a fait penser aux centaines de milliers de gosses qui se sont enfuis et qui errent ici et là et partout. D'où viennent-ils ? Où peuvent-ils bien crécher, la nuit ? La plupart d'entre eux n'ont pas d'argent et ne savent pas où aller.

Je crois que lorsque j'aurai fini mes études je deviendrai assistante sociale, je m'occuperai des enfants. Ou peut-être que je pourrais faire des études de psychologie. Au moins, je pourrai comprendre où en sont les gosses et ça me permettra de racheter tout le mal que j'ai fait à ma famille et à moi-même. C'est peut-être une chance que j'aie tant souffert, parce que ça me permet d'être plus compréhensive et plus indulgente envers le reste de l'humanité.

Cher merveilleux confident, cher journal aimé, c'est exactement ce que je vais faire. Je vais passer le reste de ma vie à aider les gens comme moi ! Quel bonheur, et comme je suis heureuse ! J'ai enfin trouvé une raison de vivre. Et la drogue, c'est fini, archi-fini pour moi ! Je n'ai pris les trucs dangereux qu'une fois ou deux et ça ne m'a pas plu. Je n'aime rien de tout ça. Les stimulants et les tranquillisants. J'en ai marre de toutes ces saloperies et j'y renonce à jamais.

Plus tard.

Je viens de relire ce que j'ai écrit, pendant ces quelques semaines, et je me noie dans mes larmes, je suffoque, je suis submergée, inondée. C'est un tissu de mensonges ! Un mensonge amer, sordide, maudit ! Jamais je n'ai pu écrire des choses pareilles ! Jamais je n'ai pu faire ces choses horribles ! J'étais quelqu'un d'autre, je n'étais plus moi ? C'est ça. C'est une autre personne qui a écrit mon journal, un être dégénéré, mauvais, puant, qui m'a pris ma vie. Oui, c'est ça, c'est ça ! Mais alors même que j'écris ces lignes, je me rends compte que c'est un nouveau mensonge, encore plus énorme ! Mais non ! Je ne sais plus... Est-ce que mon esprit est malade ? Est-ce que j'ai simplement fait un cauchemar que je confonds avec la réalité ? Je crois que j'ai tout mélangé, le vrai et le faux. Toutes ces choses ne peuvent pas être vraies. Je dois être folle.

Je me suis lamentée, j'ai pleuré jusqu'à ce que je sois complètement déshydratée, mais je sais bien que ça ne sert à rien de me traiter d'idiote, d'imbécile malheureuse, misérable, tourmentée, affligée, pitoyable, pauvre, sale et déplorable. Je ne vois que deux solutions, me suicider ou essayer de refaire ma vie en aidant les autres. C'est cette voie que je dois suivre car je ne peux pas me résoudre à causer encore de nouvelles souffrances à ma famille et je ne veux pas lui faire honte. Je n'ai plus rien à dire, cher journal, sinon que je t'aime, et que j'aime la vie, et que j'aime Dieu. Oh ! oui ! Oh ! oui, c'est vrai. Vraiment vrai.

DEUXIÈME CAHIER

6 avril.

Comme c'est merveilleux de commencer à la fois un nouveau journal et une nouvelle vie. C'est le printemps. Je suis de retour dans ma famille. Grand-papa et grand-maman vont venir, pour une nouvelle réunion heureuse, pour recevoir la fille prodigue. Tim et Alexandria n'ont pas changé et tout est parfait ! Je ne sais plus qui a écrit : « Dieu est au ciel et tout va bien dans ce monde », mais c'est exactement ce que je ressens.

Tous les êtres qui ont eu désespérément besoin de rentrer à la maison connaissent la joie immense que l'on éprouve en retrouvant son propre lit ! Mon oreiller ! Mon matelas ! Mon vieux miroir au cadre d'argent ! Tout me semble si permanent, si vieux et si neuf à la fois ! Mais je me demande si je vais jamais me sentir tout à fait neuve. Ou si je vais passer le restant de mes jours avec l'impression d'être une maladie ambulante ?

Quand je deviendrai conseillère, j'essayerai vraiment de faire comprendre aux gosses que la drogue c'est de la merde et que ça ne vaut vraiment pas le coup ! Bien sûr, c'est chouette, c'est dingue, c'est excitant de partir en voyage, je ne pourrai jamais dire le contraire. C'est excitant, c'est divin et dangereux, mais ça ne vaut pas le coup ! Vraiment pas ! Tous les jours, jusqu'à la fin de ma vie, je sais que je vais avoir peur de me réveiller et de devenir une personne que je ne veux absolument pas être ! Il va falloir que je lutte sans cesse, jusqu'à ma mort, et j'espère que Dieu m'aidera. J'espère que je n'ai pas ruiné la vie de tout le monde, en rentrant à la maison. J'espère que Tim et Alex ne seraient pas plus heureux si je n'étais pas revenue.

7 avril.

Aujourd'hui, j'ai fait une grande promenade dans le parc avec Tim. Je lui ai parlé très franchement de la drogue, il a treize ans, après tout, et je sais qu'à l'école des gosses fument de l'herbe. Naturellement, je ne suis pas entrée dans les détails de mon passé, mais nous avons discuté des choses importantes de la vie comme la religion, Dieu, nos parents, l'avenir, la guerre et toutes les choses dont les gosses parlent quand ils sont défoncés. C'était différent et vraiment très beau. Tim envisage la vie si clairement, si honnêtement, que je suis fière qu'il soit mon frère. Fière et heureuse ! Je suis reconnaissante qu'il veuille bien se montrer avec moi. Je suis sûre que ça le gêne, parce que tout le monde sait que j'ai foutu le camp et que je me suis droguée. Ah ! que j'ai honte d'avoir fait un tel pétrin de ma vie ! Je peux communiquer avec Tim et il dit qu'il peut assez bien combler le fossé des générations entre nos parents et lui. Il est très indulgent, il comprend leur situation en tant que parents et il essaye de voir les choses selon leur point de vue. C'est vraiment un type spécial. Je me demande si je suis responsable de sa façon de voir ? Je sais qu'il a dû réfléchir en mon absence, quand papa et maman devenaient fous d'inquiétude et d'angoisse. Merde, quelle idiote j'ai pu être !

8 avril.

Grand-papa et grand-maman sont arrivés aujourd'hui. Nous sommes tous allés les attendre à l'aéroport et j'ai pleuré comme un bébé. Ils m'ont paru bien vieillis et je sais que je suis la cause de leurs cheveux blancs. Grand-papa n'a plus un cheveu noir et grand-maman est plus ridée que jamais. Comment est-ce possible que j'aie pu faire ça en un mois ? Dans la voiture, en rentrant à la maison, grand-papa m'a gratté le dos comme il le faisait quand j'étais petite et il m'a dit tout bas que je devais me pardonner à moi-même. C'est un homme merveilleux, et je vais essayer, mais je sais que ce ne sera pas facile. Il faut que je fasse tout mon possible pour qu'ils soient de nouveau fiers de moi.

Plus tard.

Je ne pouvais pas dormir, alors je me suis levée et je me suis promenée dans la maison. La chatte d'Alex vient d'avoir une portée de chatons et je me suis assise sur le perron et je les ai regardés. Une révélation ! Sans drogue ! Sans rien que ces petits chats dont la fourrure est comme toute la douceur du monde réunie.

Elle était si douce qu'en fermant les yeux je ne savais pas que je la touchais. J'ai pris le petit gris, appelé Bonheur, dans mes bras, je l'ai tenu contre mon oreille et j'ai senti la chaleur de ce corps minuscule, j'ai écouté ce ronron incroyable. Et puis il s'est mis à me téter le bout de l'oreille et j'ai éprouvé une telle sensation, si profonde, que j'ai cru que j'allais fondre en larmes. C'était plus beau, meilleur qu'un voyage, mille fois, un million, un milliard de fois mieux que la drogue. Ces petites bêtes sont vraies ! La douceur n'est pas une hallucination ; les bruits de la nuit, les voitures qui passent, les criquets. J'étais vraiment là. J'ai entendu ! J'ai vu, j'ai senti, et c'est ça la vraie vie ! C'est comme ça que je veux vivre !

9 avril.

Aujourd'hui, je suis retournée à l'école et le proviseur m'a immédiatement appelée dans son bureau. Il m'a dit qu'il avait appris ma conduite et que j'étais un exemple répugnant de la jeunesse américaine. Et puis il m'a déclaré que j'étais foncièrement égoïste, indisciplinée, puérile et qu'il ne tolérerait pas un seul écart de conduite de ma part. Et puis il m'a renvoyée en classe comme des ordures qu'on jette à la poubelle ! Quel con !

Plus que jamais, je suis décidée à apprendre la psychologie et la psychiatrie pour aider les jeunes. Les gosses ont besoin d'avoir des gens compréhensifs autour d'eux, qui les écoutent, qui se soucient d'eux. Ils ont besoin de moi ! La nouvelle génération a besoin de moi ! Et ce pauvre type stupide et imbécile, qui a probablement renvoyé des centaines de gosses, m'a lancé un défi personnel. Il peut sans doute renvoyer les autres, mais pas moi ! J'ai étudié mes leçons pendant quatre heures, ce soir, j'ai travaillé et je vais continuer jusqu'à ce que j'aie rattrapé tout ce que j'ai manqué. Même si je dois m'y coller huit heures par nuit !

À bientôt, journal.

10 avril.

Maintenant que j'ai un but dans la vie, je me sens beaucoup plus sûre de moi, plus forte. En fait, je me sens de plus en plus forte, de jour en jour. Je suis peut-être capable de résister à la tentation de la drogue, maintenant, au lieu de me raconter des histoires comme avant.

11 avril.

Cher journal,

Je ne veux pas écrire ce qui m'est arrivé parce que je voudrais l'oublier, l'effacer de mon esprit à jamais, mais je suis si terrifiée que, peut-être, si je te le raconte, ça me paraîtra moins terrible. Cher journal, je t'en supplie, aide-moi. J'ai peur. J'ai si peur que j'ai les mains moites et que je tremble, littéralement.

Je pense que j'ai dû avoir un flash-back parce que j'étais assise sur mon lit, je faisais des projets pour l'anniversaire de maman, je pensais à ce que je pourrais lui acheter pour lui faire une surprise, quand tout à coup mon esprit s'est complètement troublé. Je ne sais pas comment l'expliquer, mais j'avais l'impression de partir à la renverse, comme si mon esprit roulait, roulait, sans rien pour l'arrêter. Et puis ma chambre s'est enfumée et j'ai cru que je me trouvais dans une piaule. Nous étions toute une bande, nous lisions les petites annonces pour des tas de trucs d'occasion et aussi des propositions de partouzes de toute espèce ! Et je me suis mise à rire ! J'étais en pleine forme, dingue en plein ! Je volais au-dessus des nuages et de là-haut je voyais le monde entier, et tous les gens.

Et puis soudain tout a changé, comme dans un drôle de film. Tout se passait au ralenti et la lumière était vraiment bizarre. Des filles nues dansaient, et faisaient l'amour avec des statues. Je me rappelle qu'une des filles a léché les épaules d'une statue et elle s'est animée et l'a emportée dans les hautes herbes bleues. Je ne voyais pas vraiment ce qui se passait, mais manifestement il la baisait. J'étais tellement excitée que j'avais envie de tout lâcher et de leur courir après. Mais, brusquement, je me suis retrouvée dans une rue, faisant la manche, et nous gueulions tous aux touristes qui passaient : « Merci messieurs-dames. J'espère que vous aurez un chouette orgasme avec votre chien. »

Ensuite, j'ai eu l'impression qu'on m'étouffait et je me suis envolée dans les faisceaux de lumière d'un millier de projecteurs et de phares tournants. Tout tournait. J'étais une étoile filante, une comète perçant le firmament, filant dans le ciel. Et quand j'ai finalement repris mes esprits, je me suis trouvée couchée toute nue sur le plancher.

Je ne parviens pas à y croire. Qu'est-ce qui m'arrive ? J'étais là, tranquillement assise sur mon lit, je pensais à l'anniversaire de maman, j'écoutais des disques et vlan !

Ce n'était peut-être pas un flash-back. Je suis peut-être schizo. Il paraît que ça arrive souvent aux jeunes qui perdent le contact avec la réalité. Enfin, quoi que ce soit, je suis vraiment dans les vapes. Je n'arrive pas à contrôler mon esprit. Les mots que j'ai écrits quand j'étais dans les nuages ne sont qu'un tas de petites lignes grouillantes avec des symboles idiots et des conneries entre les mots. Mon Dieu, qu'est-ce que je vais devenir ? Il faudrait que je puisse parler à quelqu'un. Il le faut, il le faut ! Mon Dieu, Seigneur, aidez-moi, je vous en supplie. J'ai si peur, j'ai froid, je suis toute seule. Je n'ai que toi, cher journal. Toi et moi, quel couple !

Plus tard.

J'ai fait quelques problèmes de maths et j'ai même lu quelques pages. Je peux encore lire, au moins. J'ai appris quelques lignes par cœur et ma mémoire fonctionne, mon esprit aussi, apparemment. J'ai fait ma gymnastique et il me semble que je contrôle bien mon corps. Mais je voudrais tant avoir quelqu'un à qui parler, quelqu'un qui comprendrait ce qui m'arrive, et ce qui risque de m'arriver. Mais je n'ai personne, alors je dois oublier ce truc-là. Oublier, oublier, oublier, et ne jamais regarder en arrière. Je ne veux plus penser qu'à l'anniversaire de maman. Je pourrai peut-être persuader Tim et Alex de l'emmener au cinéma quand ils sortiront de l'école et alors, quand ils rentreront, j'aurai préparé un dîner succulent et j'aurai mis la table. Je vais faire semblant d'avoir eu un cauchemar, tout simplement, et je vais oublier cette histoire. Je vous en supplie, mon Dieu, faites que j'oublie et que ça ne recommence plus jamais. Je vous en supplie !

12 avril.

J'ai fait un tas de choses aujourd'hui, j'ai beaucoup travaillé et je n'y ai pas pensé une seule fois. Je crois que je vais me faire une mise en plis et me coiffer comme maman l'aime, pour demain. Ça devrait lui faire plaisir.

13 avril.

L'anniversaire a été parfait. Tim et Alex ont emmené maman au cinéma en matinée, et je crois qu'elle a bien mieux aimé le film qu'eux. Papa a dû rester tard à son bureau et j'étais ravie parce que j'aurais eu un trac fou s'il était venu à la cuisine, alors que je ne savais même pas ce que je faisais, mais, finalement, tout a été très chouette. Le poulet avait l'air d'une photo en couleurs de *Maisons et Jardins*, mais en mieux, parce qu'il sentait bon par-dessus le marché, les asperges étaient bien à point et tendres, et les petits pains aussi dorés que ceux de grand-maman. En fait, je regrette bien qu'elle n'ait pas été là, elle aurait été fière de moi. Pour commencer, j'avais fait des coupes de fruits, et pour finir, une salade au lard, qui était un peu fanée, mais personne ne l'a remarqué et papa m'a taquinée en disant qu'il ne serait pas surpris si un jour je devenais une parfaite épouse. J'espère qu'il n'a pas remarqué mes yeux pleins de larmes, parce que c'est exactement ce que je voudrais être !

Pour dessert, il y avait une glace aux pêches, avec des pêches au sirop dessus, et tout a été formidable parce que c'était le premier repas que je faisais de ma vie. Alex avait fait pour maman une petite coupe en céramique, en forme de main. Elle est ravissante, et Alex l'a faite toute seule, juste un peu aidée par sa cheftaine des scouts, mais elle l'a fait cuire au four et tout sans que maman le sache. Dans le temps, j'étais un peu jalouse d'Alex et je suppose que j'étais un peu hostile, tout en l'aimant bien. Mais à présent, tout est différent. J'ai changé, je sens grandir en moi des sentiments merveilleux et j'aime tout le monde.

Ah ! j'espère qu'un jour quelqu'un voudra m'épouser !

14 avril.

Ce matin, je me suis levée à l'aube pour pouvoir prendre mon bain tranquille, sans me presser, avant que Tim et Alex viennent tambouriner à la porte. C'était sensass. J'adore prendre mon temps et jouir de la vie. Après avoir rasé mes jambes et mes aisselles, j'ai contemplé mon corps objectivement, pour la première fois de ma vie Il n'est pas mal, mais je trouve ma poitrine un peu plate. Je me demande ce qui arriverait si je faisais des exercices. Aussi bien, je finirais par ressembler à une grosse vache. Je suis heureuse d'être une fille, j'aime même avoir mes règles. Je crois que je n'ai jamais eu envie d'être un garçon. Beaucoup de filles rêvent d'être des garçons, mais pas moi. J'ai du mal à croire qu'à un moment donné j'étais tellement dans le cirage que je ne savais plus qui c'était. Ah ! comme je voudrais effacer tout ce passé pourri ! Je sais que grand-papa a raison. Je dois oublier et me pardonner, mais je n'y arrive pas. Je ne peux pas ! Chaque fois que je me sens heureuse, que j'ai des pensées agréables, ce sale passé noir revient m'inonder comme un cauchemar. Et il a déjà gâché ma journée.

(?)

Devine quoi ? Ta petite amie géniale vient de réussir son examen d'anglais ! J'en suis sûre parce que j'ai tout trouvé facile et je crois que j'ai aussi réussi en maths. J'ai peut-être fait deux ou trois fautes, mais pas plus, j'en suis certaine. C'est pas formidable ?

19 avril.

Zut et zut, voilà que ça recommence ! J'ai rencontré Jan en ville et elle m'a invitée à une « partie » pour ce soir. Aucun des gosses ne veut croire que pour moi c'est vraiment fini, parce que la plupart de ceux qui se sont fait pincer sont simplement plus prudents et discrets. Quand j'ai dit « non, merci » à Jan, elle a souri ! J'ai cru mourir de peur. Elle n'a rien dit du tout, pas un mot, elle a simplement souri comme si elle pensait : « Nous savons bien que tu reviendras. » Ah ! non, j'espère que non ! Sincèrement !

21 avril.

George me dit à peine bonjour. Il est évident qu'il est honnête et régulier et qu'il ne tient pas à fréquenter une camée. Tous les gosses de l'école savent qui se défonce et qui n'en prend pas, et je voudrais bien entrer dans la bande des garçons et des filles qui marchent droit, mais je ne vois pas comment je vais y arriver avec ma réputation que je traîne comme un boulet. Je ne peux pas le dire à papa et maman, mais j'aimerais bien sortir avec des garçons, pas ceux de la bande des camés, mais de gentils garçons. Ça me plairait qu'un d'eux mette son bras autour de mes épaules, au cinéma. Mais comment pourrais-je connaître cette tendresse avec un défoncé ? Tout le monde sait que le sexe et la merde [1] vont de pair, et pour moi ce ne sont que des lépreux, et c'est bien ce que pensent les gosses honnêtes.

Le plus triste c'est que je suis encore classée dans cette catégorie et je suppose que je le serai toujours ! C'est curieux, mais j'ai couché avec des tas de gars et pourtant je me sens toujours vierge. Je rêve toujours de tendresse, de sortir avec un gentil garçon qui m'embrasserait en me raccompagnant à la maison, sans chercher à aller plus loin. C'est à se tordre ! Cher journal, pardonne-moi. Je fais tant d'efforts pour avoir un point de vue positif et je n'y parviens pas. Je ne peux pas. Tu es le seul à qui je peux ouvrir mon cœur. Je voudrais revenir en arrière et tout effacer et recommencer. Mais je me sens vieille et méchante, et je me sens responsable d'avoir branché je ne sais pas combien de gosses du lycée ou de la petite école, qui à leur tour en ont branché d'autres. Comment Dieu pourra-t-il jamais me pardonner ?

Je ferais bien d'aller prendre un bain et de me laver la figure avant que mes parents entendent ces sanglots ridicules que je ne peux pas retenir. Merci de m'avoir écoutée.

1. La drogue.

24 avril.

Les gosses me harcèlent de plus en plus. Deux fois, aujourd'hui, Jan m'a bousculée dans le couloir en m'appelant Sainte-Nitouche et Marie-la-Pure. J'en ai marre, marre. Cette fois c'est trop et je crois que si je sombre encore dans le cafard, je vais demander à papa et maman de m'envoyer dans une autre école. Mais où pourrais-je bien aller où personne n'aurait entendu parler de moi ? Et comment pourrais-je tout dire à mes parents, pour qu'ils me changent d'école ? Vraiment, je ne sais pas ce que je vais devenir. J'ai même recommencé à faire ma prière tous les soirs, comme lorsque j'étais petite, mais je ne récite plus les mots, je supplie, je supplie.

Bonsoir, journal.

27 avril.

C'est horrible de ne pas avoir d'amis. Je me sens terriblement seule, abandonnée. Je crois que c'est encore pire pendant le week-end. Mais pendant la semaine, ce n'est guère mieux, je crois.

1er mars.

Grand-papa a eu une attaque, et papa et maman prennent l'avion aujourd'hui pour aller là-bas. Ils seront déjà partis quand nous rentrerons de l'école. Ils sont vraiment adorables, ils sont plus inquiets à la pensée de me laisser seule que de n'importe quoi. Je suis sûre qu'ils savent que je me sens seule et frustrée et ils ont mal pour moi, comme moi pour grand-papa.

Dans le temps, je croyais être la seule à éprouver des sentiments, mais je ne suis qu'une infime partie d'une humanité souffrante. C'est heureux que la plupart des gens saignent à l'intérieur de leur cœur, sans quoi cette terre serait vraiment terriblement sanglante.

Grand-maman sera bien seule si grand-papa meurt. Je ne peux pas me l'imaginer sans lui. Ce serait comme de couper en deux une personne vivante. Cher vieux grand-papa, il m'appelait son Général Cinq Étoiles. Je crois que je vais lui écrire avant de partir pour l'école et je signerai « le Général Cinq Étoiles de grand-papa ». Personne d'autre ne comprendra, mais lui si.

À bientôt.

(?)

Papa vient de téléphoner pour savoir si nous allions tous bien, et pour nous dire que l'état de grand-papa a empiré. Il est dans le coma, et nous sommes tous bouleversés, surtout Alex. Quand je l'ai bordée dans son lit comme le fait maman, et que je l'ai embrassée, elle m'a demandé si elle pourrait venir se coucher avec moi si elle avait peur pendant la nuit. Adorable petite Alex. Mais que peut-on dire à quelqu'un qui a le cœur si gros quand on ne connaît pas les réponses ?

Je suis allée dire ensuite bonsoir à Tim. Lui aussi, il est bien triste et je suppose que nous le sommes tous, même papa.

4 mai.

Tim, Alex et moi, nous nous sommes tous levés à la même heure et nous avons rangé nos chambres et

125

fait nos lits et préparé le petit déjeuner et fait la vaisselle ensemble. Nous sommes vraiment formidables !

Faut que je file à l'école, mais j'écrirai encore ce soir s'il arrive quelque chose de bien ou de tragique.

Soir.

Papa a téléphoné, mais il n'y a guère de changement. Grand-papa va plus mal mais il tient le coup. On ne sait pas encore s'il va s'en tirer. Je suppose qu'il est dans un état critique. Alex s'est jetée dans mes bras en pleurant et j'avais bien envie de pleurer, moi aussi. La maison semble immense, silencieuse et solitaire, sans papa et maman.

5 mai.

Grand-papa est mort pendant la nuit. Après-demain, le professeur F., de l'université, nous conduira, Tim, Alex et moi, à l'aéroport pour que nous allions à l'enterrement. Je ne peux pas croire que je ne verrai plus jamais grand-papa. Je me demande ce qui lui est arrivé. J'espère qu'il n'est pas simplement glacé et mort. Je refuse de croire que le corps de grand-papa va être mangé par les vers. Je ne veux pas y penser. Peut-être, les trucs qu'on a employés pour l'embaumer vont le protéger et le corps tombera simplement en poussière. Ah ! je l'espère !

8 mai.

Je ne pouvais pas croire que cette chose couchée dans le cercueil était grand-papa. Ce n'était qu'un vieux squelette fatigué recouvert de peau. J'ai vu naturellement des crapauds morts, des oiseaux, des lézards morts, et des poulets, mais là j'ai eu un choc terrible ! Ça n'avait pas l'air vrai. C'était presque comme un mauvais voyage. Je suis heureuse de n'avoir jamais fait de mauvais voyage. Mais peut-être, si mon premier l'avait été, je n'aurais jamais recommencé. Dans un sens, je le regrette bien. Grand-maman paraît si calme et si tendre. Elle a mis un bras autour de mes épaules, l'autre autour d'Alexandria. Chère grand-maman, si douce, si forte. Même pendant l'interminable service funèbre, elle n'a pas pleuré. Elle était assise, la tête baissée. C'était étrange, presque effrayant, mais j'ai eu l'impression que grand-papa était assis à côté d'elle. J'en ai parlé à Tim après, et il m'a dit qu'il avait eu la même impression.

Le plus affreux, c'est quand on a descendu le corps de grand-papa dans la fosse. La chose la plus affreuse du monde. Alexandria et moi nous avons pleuré, les seules de la famille. J'ai essayé d'être forte, de me maîtriser comme les autres, mais c'était impossible. Maman, grand-maman et papa s'essuyaient discrètement les yeux de temps en temps et Tim reniflait, et bien sûr Alex est encore un bébé, mais moi, naturellement, il a fallu que je me donne en spectacle ! Comme toujours !

9 mai.

Grand-maman rentre ce soir avec nous et elle restera à la maison jusqu'à la fin du trimestre. Et quand l'école sera finie, je reviendrai ici avec elle pour l'aider à s'organiser et à emballer ses affaires, et ensuite elle habitera avec nous jusqu'à ce qu'elle trouve un petit appartement tout près de chez nous.

Je crois que je n'ai jamais été aussi fatiguée de ma vie. Je ne comprends pas comment grand-maman peut tenir le coup, car moi je peux à peine bouger. Nous avons tous l'air de relever d'une longue maladie. Même la petite Alex se traîne. Je me demande combien de temps il nous faudra pour nous habituer à une existence sans grand-papa ? Serons-nous jamais les mêmes ? Et que va devenir ma chère, chère grand-maman ? Quand elle sera installée dans son nouvel appartement, j'irai la voir souvent, je l'emmènerai au cinéma, et pour de longues promenades et tout.

12 mai.

Ce matin, en regardant par la fenêtre, j'ai vu de l'herbe verte qui sortait de terre et je me suis mise à pleurer sans pouvoir me retenir. Je ne comprends pas du tout la résurrection. Je ne peux pas concevoir comment le corps de grand-papa, quand il sera décomposé et moisi et mangé des vers et tombé en poussière, pourra jamais redevenir entier. Mais je ne comprends pas non plus comment un oignon de tulipe ou de glaïeul, séché et racorni, peut donner de belles fleurs. Je suppose que Dieu est bien capable de réunir de nouveau des atomes et des molécules et de refabriquer des corps entiers, si un oignon de tulipe, qui n'a pas même de cerveau, en est capable. Cette idée me fait du bien, vraiment, et je ne sais pas pourquoi j'essayerais de comprendre la mort quand je ne comprends même pas la télévision et l'électricité, ni même la stéréo. En fait, je comprends si peu de choses que je me demande comment j'existe.

J'ai lu un jour que l'homme ne se sert que de la dixième partie (je crois) de son cerveau. Ce serait formidable si nous nous servions des quatre-vingt-dix pour cent qui restent ! Ce serait divin ! Cette planète serait vraiment merveilleuse si tous les cerveaux étaient quatre-vingt-dix fois plus efficients qu'ils ne le sont maintenant.

14 mai.

La nuit dernière, j'ai eu un cauchemar, je voyais le corps de grand-papa plein de vers qui grouillaient et j'ai pensé à ce qui m'arriverait si je mourais. Les vers ne font pas de distinction, sous la terre. Ils se ficheraient pas mal que je sois jeune, que ma chair soit ferme et solide. Heureusement, maman m'a entendue gémir et elle est venue et m'a aidée à me ressaisir. Et puis nous sommes descendues à la cuisine, elle m'a fait boire du lait chaud, mais j'étais secouée de frissons malgré tout, et je ne pouvais pas lui dire ce qui s'était passé. Je suis sûre qu'elle croyait que mon cauchemar avait un rapport avec les fois où je m'étais enfuie, mais je ne pouvais pas lui en parler, parce que c'était encore plus horrible.

Comme je frissonnais toujours, après le lait chaud, nous avons mis des souliers et nous avons fait le tour du jardin. Nous avions froid, malgré nos robes de chambre, mais nous avons parlé d'un tas de choses et j'ai dit que j'aimerais devenir assistante sociale ou quelque chose comme ça, et maman a été très heureuse de voir que je voulais aider les autres. Elle est vraiment très compréhensive. Tout le monde devrait avoir autant de chance que moi.

15 mai.

Je dois faire de gros efforts pour travailler à l'école et pour me concentrer. Je ne savais pas que la mort vidait les gens à ce point. Je me sens complètement drainée et je dois me forcer pour accomplir tout ce que je dois faire.

16 mai.

Aujourd'hui papa m'a emmenée à un meeting pacifiste à l'université. Il était très inquiet et troublé par les étudiants et il m'a parlé comme si j'étais adulte. J'étais ravie. Papa ne se fait pas autant de souci au sujet des étudiants militants (qu'on devrait traiter très durement, à son avis) que des gosses qui pourraient aisément se laisser entraîner à avoir des idées fausses. Moi aussi, je m'inquiète pour eux. Et surtout pour moi !

Ensuite, nous sommes allés voir le professeur S. qui s'inquiète aussi beaucoup pour la nouvelle génération. Il a parlé longtemps des enfants, il se demande ce qu'ils vont devenir, et puis il a débité un tas de statistiques qui m'ont bien étonnée. Je ne me rappelle pas la moitié de ce qu'il a dit, il parlait si vite, mais par exemple : mille jeunes étudiants se suicident chaque année et neuf mille autres ont tenté de se suicider. Les maladies vénériennes ont augmenté de vingt-cinq pour cent chez les jeunes de mon âge et les grossesses aussi, malgré la pilule. Il a dit aussi que le crime et les maladies mentales montent en flèche chez les gosses. En fait, d'après lui, tout va de mal en pis.

En partant je ne savais plus si j'étais rassurée de savoir que tant d'autres gosses se droguent comme je l'ai fait, ou affolée parce que tout le monde devient fou en même temps. Mais à vrai dire, je ne pense pas qu'on puisse en vouloir aux gosses parce que les adultes ne valent pas plus cher. En fait, je ne vois personne que j'aimerais avoir comme président, à part papa, et il ne sera jamais élu, avec une fille comme moi.

19 mai.

Cette fois, c'est le bouquet ! Quelqu'un a glissé une cigarette de marijuana dans mon sac et j'ai eu si peur que j'ai séché le cours suivant et que j'ai sauté dans un taxi pour aller voir papa à son bureau.

Je ne comprends pas pourquoi ils ne me fichent pas la paix ! Pourquoi me harcèlent-ils comme ça ? Est-ce que mon existence les effraie ? Je finirai par le croire. Je pense très sincèrement qu'ils veulent me faire disparaître de la surface de la terre ou m'envoyer chez les dingues. C'est comme si j'avais découvert un réseau d'espionnage géant et qu'on veuille se débarrasser de moi !

Papa a dit que je devais être forte et adulte. Il m'a parlé longuement et je suis bien reconnaissante de voir qu'il a du souci pour moi, mais je sais qu'il ne comprend pas leur mobile plus que moi. D'ailleurs, il n'est pas au courant de Richie et de Lane et du reste. Il dit que toute la famille me soutient. Mais à quoi ça sert si le monde entier est contre moi ? C'est comme la mort de grand-papa. Tout le monde a un chagrin terrible mais personne n'y peut rien, pas même moi !

20 mai.

J'ai réussi à me replonger dans l'étude, et c'est un grand secours. Ça m'empêche au moins de trop penser à tu sais quoi.

21 mai.

Grand-maman est malade, mais maman pense que c'est simplement la réaction après le choc. Je l'espère bien, mais elle a vraiment une mine épouvantable. Ah ! j'allais oublier. Papa a obtenu pour moi l'autorisation de consulter les ouvrages à la bibliothèque de l'université et j'y suis allée aujourd'hui pour la première fois. C'est vraiment très amusant. Je me sentais terriblement sophistiquée et des tas de gosses m'ont prise pour une étudiante. C'est pas drôle ?

22 mai.

Aujourd'hui, j'ai fait la connaissance d'un garçon, à la bibliothèque. Il s'appelle Joël Reems et il est en troisième année. Nous avons travaillé ensemble et puis il m'a accompagnée jusqu'au bureau de papa. Papa était occupé, alors nous nous sommes assis sur le perron du bâtiment pour l'attendre. J'ai décidé de ne pas mentir à Joël et de lui dire toute la vérité sur moi, ce sera à prendre ou à laisser (enfin, presque toute la vérité). Je lui ai dit que je n'avais que seize ans et que c'était simplement grâce à papa que j'avais le droit d'aller à la bibliothèque.

C'est vraiment un garçon adorable, parce qu'il a ri et il m'a dit que ça n'avait pas d'importance parce

132

qu'il n'avait pas l'intention de me demander en mariage ce trimestre. Quand papa est arrivé, il s'est assis avec nous sur les marches et nous avons discuté le coup tous les trois comme si nous nous connaissions depuis toujours. Avant de partir, Joël m'a demandé quand je reviendrais étudier et je lui ai répondu que je passais toutes mes journées à étudier, ce qui a paru lui plaire.

23 mai.

Cher papa, je suppose que je devrais lui en vouloir, mais je ne peux pas ! Il est allé consulter le dossier de Joël et il m'a tout raconté. J'ai eu envie de rire en imaginant papa se glissant sournoisement dans les bureaux pour fouiller dans les dossiers et se renseigner pour moi. Bref, Joël est très en avance dans ses études, puisqu'il est déjà à l'université bien qu'il n'ait que dix-huit ans, tout juste. Son père est mort et sa mère est ouvrière dans une usine et il travaille sept heures par jour comme concierge à l'université pour payer ses études, de minuit à sept heures du matin, et son premier cours est à neuf heures le lundi, le mercredi et le vendredi. Quel horaire !

Papa m'a demandé de ne pas l'empêcher de travailler et je lui ai donné ma parole. Cependant, si Joël veut m'accompagner de la bibliothèque au bureau de papa tous les après-midi (même le samedi), je ne vois pas où serait le mal, non ?

Soir.

Joël m'a accompagnée au bureau de papa. Et c'était presque comme un rendez-vous ! Nous parlions tous les deux en même temps et nous avons beaucoup ri et bavardé. (C'était très chaotique et charmant.) Joël dit qu'il n'a jamais eu le temps de s'occuper des filles et il ne comprend pas comment je semble savoir tant de choses sur lui. J'ai répondu que les femmes ont beaucoup d'intuition, tout simplement. Et elles sont rusées !

25 mai.

Joël est encore venu avec moi jusqu'au bureau de papa tout à l'heure et papa l'a invité à dîner demain soir. Maman a été enchantée, je sais qu'elle a hâte de le connaître, parce que papa me taquine à cause de lui.

26 mai.

Je suis rentrée de l'école en courant et j'ai aidé maman à ranger et nettoyer la maison comme si nous attendions le Roi du Monde, et je me suis assurée que nous avions tous les ingrédients pour faire des biscuits à l'orange, mon unique spécialité. Je ne peux pas attendre ! Je ne peux pas !

Plus tard.

Joël vient de partir et nous avons passé une soirée fantastique. Je ne sais pas pourquoi je dis ça, au fond, parce que papa et lui sont restés presque tout le temps ensemble. C'est peut-être parce que le père de Joël est mort quand il avait sept ans, mais ils s'entendent vraiment très bien. Même Tim paraissait fasciné en les écoutant, surtout quand ils parlaient des études de Joël. (Je crois que Tim pense à aller à l'université. Déjà !)

Mes biscuits à l'orange étaient parfaits, grand-maman elle-même a déclaré qu'elle ne les aurait pas mieux faits et Joël en a mangé sept. Sept ! Il a même dit que s'il en était resté, il en aurait emporté une pleine poche pour son petit déjeuner. Naturellement, s'il en était resté, il n'aurait sûrement rien dit. Il est plutôt réservé. Je crois que je vais demander à maman si je peux en faire tout un tas, que je lui porterai à la bibliothèque.

29 mai.

Cher journal, devine quoi ? Papa nous a annoncé la plus merveilleuse nouvelle du monde, à dîner ! (Et il l'a fait très nonchalamment.) Il va essayer d'obtenir une bourse pour Joël. Il dit qu'il est à peu près sûr de réussir, mais que ça prendra du temps et il ne veut pas que je lui en parle avant que tout soit réglé. J'espère que je pourrai fermer ma grande gueule. Je ne sais pas garder les secrets.

P.-S. À l'école, ça va. Personne ne me parle, mais personne ne m'embête non plus. On ne peut pas tout avoir, je suppose.

1er juin.

La maison de grand-maman a été vendue aujourd'hui, et la famille a décidé de faire simplement emballer ses affaires par les déménageurs et de les mettre au garde-meubles. Grand-maman a éclaté en sanglots en l'apprenant. C'est la première fois que je la vois pleurer. Je suppose que grand-papa parti, et maintenant la maison où elle a vécu pratiquement toute sa vie, ça rend toutes les choses terriblement définitives.

Plus tard.

Je me demande si je plais vraiment à Joël ? Je me demande s'il me trouve gentille, ou jolie, ou séduisante... et si je lui fais l'effet d'une fille qui pourrait avoir de l'importance pour lui ? J'espère que je lui plais, parce qu'il me plaît beaucoup. En fait, je crois que je l'aime vraiment...
Mrs Joël Reems
MRS JOËL REEMS
Mr et Mrs Joël Reems
Le professeur et Mrs Joël Reems
C'est pas merveilleux ?

2 juin.

Mrs Larsen vient de téléphoner pour dire que Jan avait promis de venir garder son bébé, mais elle a téléphoné à la dernière minute pour dire qu'elle ne venait pas, et ça ne m'étonne pas de Jan. Enfin, je suppose que je pourrai aussi bien étudier là-bas qu'ici. Faut que je prépare mes affaires.
À bientôt.

Soir.

Cher journal,
Je suis vannée, fatiguée, triste, épuisée et j'en ai marre.

Jan est arrivée une demi-heure après le départ de Mrs Larsen et elle voulait garder le bébé parce qu'elle avait besoin du fric. Mais je ne pouvais pas la laisser faire parce qu'elle était complètement défoncée et que le bébé de Mrs Larsen n'a que quatre mois. Mais elle ne voulait pas partir, alors finalement, j'ai dû téléphoner à ses parents pour leur demander de venir la chercher. Je leur ai dit qu'elle était malade, mais le temps qu'ils arrivent elle était vraiment en pleine vape. Elle avait mis la stéréo à plein volume, assez fort pour réveiller le bébé, qui était mouillé et qui pleurait déjà, d'ailleurs, mais je n'osais pas le changer parce que je ne savais pas de quoi Jan était capable. Elle était tellement bombée quand ses parents sont arrivés qu'ils ont dû pratiquement la porter jusqu'à la voiture, et ils pleuraient tous les deux en me suppliant de ne pas prévenir la police et de n'en parler à personne.

Mon Dieu, j'espère que j'ai bien agi. Je n'aurais peut-être pas dû appeler ses parents, mais je n'arrivais pas à la faire partir et il n'était pas question de la laisser avec le bébé. Je me doute de ce qui va se passer demain à l'école quand ça se saura. Baoum ! Personne ne voudra jamais écouter ma version. Et d'ailleurs, les camés ne comprennent rien à des trucs comme faire mal aux bébés. Ils ne comprennent rien à rien.

3 juin.

Papa et maman m'ont dit qu'hier soir j'avais fait exactement ce que je devais faire, et ils regrettaient de ne pas avoir été là pour m'aider. Mais qu'est-ce qu'ils auraient fait d'autre que d'appeler les parents de Jan ? Ça aurait peut-être été pire, s'ils avaient été là. Qui sait ? Faut que je file, maintenant.

Soir.

Jan m'a croisée dans le couloir aujourd'hui et elle m'a jeté un regard de haine et d'amertume que je ne lui ai jamais vu. « Je te revaudrai ça, espèce de salope de Sainte-Nitouche », elle a dit, et elle l'a presque crié devant tout le monde. J'ai essayé de m'expliquer, mais elle m'a tourné le dos et elle est passée comme si je n'existais pas.

Plus tard, je suis allée à la bibliothèque. Joël a compris que quelque chose n'allait pas, alors j'ai fini par lui dire que je devais avoir attrapé la grippe et que je me sentais dans le trente-sixième dessous (ce qui est vrai). Il m'a conseillé de prendre de l'aspirine et de me reposer. La vie est simple pour les gens réguliers.

(?)

Je ne sais pas ce que Jan est allée raconter aux autres, mais elle a dû faire circuler des rumeurs vraiment horribles, parce que maintenant tout le monde ricane sur mon passage et c'est encore pire que d'être seule et ignorée. J'aimerais pouvoir parler à Joël, mais je ne vais même plus travailler à la bibliothèque, je suis trop à cran. J'emporte des livres à la maison et j'étudie dans ma chambre. Ma chambre sera tout mon univers.

(?)

Joël vient de téléphoner de la bibliothèque parce qu'il se fait du souci pour moi. Il a demandé de mes nouvelles à la secrétaire de papa qui n'est au courant de rien. Je suis bien heureuse qu'il ait appelé, mais je lui ai dit que j'étais malade et que je n'irai pas à la bibliothèque cette semaine. (Oh ! oui, je suis malade, malade de voir tous ces camés et ces dingues qui me persécutent !) Joël a demandé la permission de me téléphoner tous les soirs, et je ne lui ai pas dit que j'attendrai à côté du téléphone, mais c'est la vérité ! Mais tu savais ça, cher journal ?

7 juin.

Cette nuit, grand-maman a été très malade. Je crois qu'elle n'a pas le courage de vivre sans grand-papa. Elle n'est pas descendue pour le petit déjeuner. Je lui ai monté un plateau, mais elle n'a rien mangé. Ce soir, au lieu d'aller à la bibliothèque comme je le voulais, j'irai passer un moment avec elle dans sa chambre. Joël comprendra.

À bientôt.

8 juin.

Je suis terrifiée, je ne sais plus quoi faire. Jan s'est glissée vers moi dans l'escalier et elle m'a chuchoté :

« Tu ferais bien de conseiller à ta petite pisseuse de sœur de pas accepter de bonbons d'un inconnu, ou même d'un ami, surtout un de tes amis ! » Mais Jan ne ferait quand même pas ça ! C'est impossible ! Qu'elle pense de moi ce qu'elle veut, mais elle n'irait tout de même pas se venger sur Alexandria, n'est-ce pas ? N'est-ce pas ? Je voudrais tant lui faire comprendre, mais je ne sais pas comment.

Ah ! que j'aimerais pouvoir parler à papa et maman de tout ça, même à Joël et à Tim, mais tout ce que je fais semble aggraver les choses. Je crois que je vais essayer de glisser ça dans la conversation, à table, de dire que des gosses dérangés mettent de l'acide sur des bonbons, du chewing-gum, etc., et en donnent à des enfants. Peut-être, si je leur disais qu'un de nos professeurs nous a parlé d'un gosse de Detroit qui était mort comme ça, ils feraient attention. Ah ! il faut qu'ils fassent attention, il le faut !

9 *juin.*

Je revenais du magasin, et une voiture pleine de gosses s'est arrêtée le long du trottoir à côté de moi et ils se sont tous mis à me crier des choses comme :

« Tiens, voilà cette pouffiasse de Marie-la-Pure. »

« Mais non, c'est la moucharde ! »

« Miss Super-Indic ! »

« Je me demande ce qui se passerait si on planquait de la merde dans la tire de son vieux ? »

« Ah ! dis donc, ce serait chouette de faire pincer son prof de père ! »

Et puis ils m'ont traitée de tous les noms les plus sales et ils ont démarré en trombe, en riant comme des dingues, me laissant mentalement malade, écrasée, écœurée. Je crois qu'ils voulaient seulement me faire peur, me rendre folle. Mais qui sait ? L'été dernier, j'ai lu un article sur des gosses défoncés qui avaient jeté un chat dans une machine à laver et l'avaient mise en marche pour voir ce qui se passerait. Ils voudraient peut-être vraiment savoir comment papa réagirait. Cette bande de petits fumiers dingues est capable de tout. Mais je ne crois pas qu'ils iraient aussi loin. Peut-être, si je les ignore, ils finiront par renoncer à m'embêter.

10 juin.

Pour la première fois, je suis absolument certaine que si j'étais enfermée dans une pièce pleine d'acide, de speed et de toutes les drogues stimulantes du monde, je serais tout simplement écœurée, car je vois bien comment elles transforment des gosses qui étaient mes amis. Sûrement, ils ne me tortureraient pas aussi impitoyablement s'ils ne se droguaient pas ? Sûrement ?

Aujourd'hui, quelqu'un a mis un charbon ardent dans mon casier et le directeur m'a appelée mais il savait bien que je n'aurais jamais fait quelque chose d'aussi stupide. Ma veste neuve a un gros trou et des copies ont pris feu et ont tout enfumé. Le directeur m'a demandé qui avait pu faire ça, et bien que je soupçonne Jan, je n'ai pas osé la dénoncer, et je ne vais certainement pas rapporter sur tous les camés de l'école. Je suis bien placée pour les montrer du doigt, tiens ! Et d'ailleurs, ils me tueraient peut-être. J'ai vraiment peur.

11 juin.

Je suis bien heureuse que l'école soit bientôt finie, et l'année prochaine j'irai peut-être en classe à Seattle et j'irai habiter avec tante Jeannie et oncle Arthur. Je regrette bien que grand-maman ait vendu sa maison, mais malade comme elle est, je suppose que je n'aurais pas pu aller y vivre.

P.-S. Je suis allée à la bibliothèque de l'université et j'ai vu Joël, nous nous sommes assis sur la pelouse et nous avons bavardé un moment, mais rien n'est plus pareil. Tous les jours, il me semble que les choses ne font qu'empirer. J'aimerais que Joël ait pu être le fils de papa, et que je ne sois jamais née.

12 juin.

Ce soir c'est le bal de l'école, mais naturellement je n'irai pas. Même George, avec qui je sortais, me toise avec dédain ou passe à côté de moi sans même me voir. Apparemment, les rumeurs vont bon train. Je ne peux pas imaginer ce qu'on dit de moi, ni comment mettre fin à ces ragots.

(?)

Je crois que la vieille bande des camés essaye de me faire devenir complètement folle, et elle y réussit presque. Aujourd'hui, j'étais avec maman au marché et nous avons rencontré Marcie et sa mère. Pendant que maman et elle bavardaient, Marcie s'est tournée vers moi et elle m'a murmuré, avec un beau sourire innocent : « Ce soir nous organisons une partie et c'est ta dernière chance. »

J'ai dit « non, merci » aussi calmement que possible, j'ai cru que j'allais étouffer. Sa mère était là à côté d'elle ! Et puis elle m'a souri, toujours aussi gentiment, et elle m'a chuchoté : « Autant venir, parce que nous finirons bien par t'avoir. » C'est incroyable ! Une fille de quinze ans appartenant à une bonne famille, cultivée, respectée, ne pouvait tout de même pas menacer une de ses camarades en public, en plein marché, au rayon des légumes ! J'ai cru que j'allais devenir folle, que mon esprit allait tout à coup s'échapper et tomber par terre et se dissoudre.

En rentrant à la maison, maman m'a demandé pourquoi je ne disais rien, et puis elle m'a dit que je devrais fréquenter une gentille petite comme Marcie Green. Une gentille petite ! Je deviens folle peut-être. J'ai peut-être tout imaginé et rien ne s'est passé.

16 juin.

Grand-maman est morte dans son sommeil la nuit dernière. J'ai essayé de me persuader qu'elle est allée retrouver grand-papa, mais je suis si déprimée que je ne peux penser qu'aux vers qui vont manger son corps. Des orbites vides avec des colonies entières d'asticots grouillants. Je ne peux plus rien manger. Toute la maison semble folle, tout le monde s'occupe de l'enterrement. Pauvre maman, son père et sa mère disparus en deux mois ! Comment peut-elle le supporter ? Je crois que je mourrais si je perdais mes parents, en ce moment. Je me suis efforcée d'aider maman, de lui faciliter les choses, mais je suis si épuisée que je dois me forcer pour mettre un pied devant l'autre.

17 juin.

Joël a appris la mort de grand-maman et il m'a téléphoné pour me dire qu'il était vraiment désolé. Il m'a rendu mes forces et a promis de venir me voir demain après l'enterrement. Je suis si heureuse qu'il vienne. Je vais avoir besoin de lui.

19 juin.

Je crois que la seule chose qui m'a permis de tenir le coup aujourd'hui, c'est la pensée que Joël m'attendait. Chaque fois que j'avais envie de pleurer je pensais à lui, assis dans notre salon, et j'allais un peu mieux. J'aurais aimé que maman puisse penser à autre chose, parce qu'elle était vraiment bouleversée. Jamais je ne l'ai vue dans un tel état. Papa a fait de son mieux mais je crois qu'il ne parvenait pas à communiquer avec elle.

Quand nous sommes rentrés à la maison, je suis allée m'asseoir dans le jardin avec Joël et nous avons causé longtemps. Son père est mort quand il avait sept ans et depuis il a beaucoup pensé à la mort et à la vie. Ses sentiments et ses idées sont pleins d'une telle maturité que j'ai peine à croire qu'il n'a pas cent ans ! C'est aussi un garçon très spirituel, pas religieux ni dévot, mais spirituel, et ses sentiments sont très profonds. Je crois que la plupart des gosses de notre génération sont comme ça. Même pendant leurs voyages à la drogue beaucoup de jeunes croient avoir vu

Dieu, ou qu'ils communient avec des êtres célestes. Finalement, quand Joël est parti, il m'a embrassée très tendrement sur la bouche, pour la première fois. Il est si bon, si honnête, si bien que j'espère qu'un jour nous pourrons être l'un à l'autre. Je l'espère sincèrement.

Le plus mauvais moment de la journée, c'est quand on a fait descendre ma chère grand-maman, si douce et si frêle, dans ce trou noir sans fond. J'ai eu l'impression que la terre l'avalait et quand ils ont jeté les premières pelletées sur le cercueil, j'ai dû me retenir pour ne pas hurler. Mais Joël m'a dit de ne pas penser à ça, parce que ce n'est pas ça la mort, et je suppose qu'il a raison. Je ne veux plus y penser.

20 juin.

Maintenant que l'école est finie, il y a un tas de bals et de réceptions et j'essaye de ne pas me sentir blessée parce que je ne suis pas invitée. Je trouve un peu indécent d'avoir envie de sortir alors que grand-maman vient de mourir. Mais à dire vrai, mon cher journal, mon ami, j'en ai assez d'être en quarantaine et de faire semblant de m'en ficher. Je suis si fatiguée que j'ai parfois envie de m'enfuir encore une fois pour ne jamais revenir.

22 juin.

Hier soir, une bande de gosses ont été embarqués par les flics à une fête et aujourd'hui ils m'en rendent responsable. Jan est venue se frotter contre moi, au drugstore, et elle m'a dit que cette fois je ne m'en tirerais pas comme ça et que j'étais une salope de moucharde. Je lui ai dit que je n'avais rien fait, que je n'étais même au courant de rien mais, comme d'habitude, elle n'a pas voulu m'écouter.

Je ne sais pas ce que je vais faire s'ils recommencent à me tourmenter. Je crois vraiment que je ne pourrai pas le supporter, même avec Joël et ma famille pour me soutenir. C'est trop, trop.

23 juin.

Tout va mal et je n'en peux plus ! Vraiment plus ! Aujourd'hui, je marchais simplement dans la rue, le long du parc, et un garçon que je ne connais même pas m'a accompagnée et m'a menacée. Il m'a tiré le bras en le tordant, en me traitant de tous les noms les plus horribles du monde. Des tas de gosses passaient et j'avais envie de crier mais je ne pouvais pas. Qui m'aiderait, d'ailleurs ? Les gosses bien ne savent même pas que j'existe. Et puis ce garçon m'a poussée brutalement derrière des buissons et il m'a embrassée. C'était tout à fait humiliant et répugnant. Il a enfoncé sa langue dans ma bouche en la remuant dans tous les sens jusqu'à ce que je pleure ; j'avais mal au cœur. Là-dessus, il m'a dit que j'avais simplement besoin de me faire baiser une bonne fois et que je ferais bien de ne parler de ça à personne sans quoi il reviendrait et cette fois ce serait ma fête.

J'avais si peur que j'ai couru jusqu'au cabinet d'avocat de M. B. et je lui ai demandé de me reconduire à la maison. Il a cru que j'étais malade, maman aussi et elle m'a obligée à me coucher. Je suis malade. Je n'arrête pas de vomir et je ne peux pas me concentrer. Qu'est-ce que je vais faire ? Qu'est-ce que je vais

146

devenir ? Je ne peux rien dire à maman, après grand-papa et grand-maman, ce serait la dernière goutte. Mon Dieu, qu'est-ce que je peux faire ?

Une voiture vient de passer avec les phares qui clignotaient et l'avertisseur bloqué à fond, et toute la famille a couru dehors pour voir ce qui se passait, sauf moi. Je me fiche de tout, à présent.

24 juin.

Ce matin, au petit déjeuner, j'ai dit à la famille que j'étais vraiment torturée à nouveau par les gosses. Papa a proposé d'aller voir leurs parents, mais je l'ai supplié de ne pas faire ça parce que ça ne ferait qu'aggraver les choses. J'ai même dit à papa de fermer sa voiture à clef parce que quelqu'un avait menacé de mettre de la drogue dedans. Naturellement, il m'a fallu avertir de nouveau Tim et Alex, mais tout ça ne sert à rien. J'ai l'impression que nous sommes assiégés, mais les autres ne prennent pas la situation au sérieux. Papa croit sincèrement que les gosses me font marcher et qu'ils ne feraient jamais rien pour me faire du mal. Je n'ai pas pu lui parler de ce qui s'est passé hier, alors je suppose qu'il va falloir que je continue de leur laisser croire que tout va bien.

Plus tard.

Ma chère gentille maman m'a conduite à l'université cet après-midi pour voir Joël. Elle a dit qu'il y avait des choses qu'elle devait aller chercher au bureau de papa, mais je sais que ce n'est qu'un prétexte. Elle est vraiment formidable.

J'ai bavardé un moment avec Joël et ensuite, je ne sais pas pourquoi, je lui ai demandé de marcher un peu avec moi et, le cœur complètement désintégré, je lui ai révélé une partie de la vérité. Je ne voulais pas le lui dire, mais à présent j'en suis heureuse. Sa réaction a été celle que j'attendais de lui. Il m'a dit qu'il avait beaucoup d'affection pour moi et qu'il était sûr que je m'en tirerais, parce qu'au fond j'étais une personne très saine et forte. Il m'a peut-être dit ça parce qu'il va rentrer chez lui pour les vacances, mais il m'a donné la montre en or de son père et moi la bague de grand-maman. C'était affreusement triste. Et maintenant je me sens grise comme tous les jours gris du monde.

25 juin.

Aujourd'hui, notre quartier était comme un asile de fous, tout le monde courait dans tous les sens pour préparer le zinzin annuel de ce soir « L'École est finie ». Aucun des camés n'a fait attention à moi et j'en suis bien contente. Ils ont peut-être d'autres projets. C'est curieux qu'un grand lycée comme celui-ci puisse être divisé et former deux mondes entièrement différents qui s'ignorent complètement. À moins qu'il n'y ait plusieurs mondes ? Est-ce que l'école ne serait pas une petite galaxie, avec un univers minuscule pour chaque groupe minoritaire, un pour les enfants pauvres et un autre pour les enfants riches, et un pour les camés, ou peut-être même un pour les camés riches et un autre pour ceux qui appartiennent à des milieux défavorisés ? Et chacun de nous ignorerait tout des autres mondes, jusqu'à ce qu'une personne essaye de passer de l'un dans un autre ? Est-ce ça le péché ? Ou bien est-ce que le problème consiste à essayer de rentrer dans le globe original ? Sûrement, tous les gosses qui ont essayé un jour de prendre de la drogue n'ont pas ce problème ? Ou bien l'ont-ils ? Je suppose que je finirai bien par le savoir, du moins je peux essayer. Chris a de la chance, ses parents ont déménagé et sont allés vivre dans une ville où personne ne la connaît.

P.-S. J'ai rencontré trois des gosses réguliers et ils m'ont demandé si j'allais au zinzin et tout. La glace est peut-être rompue. Je l'espère, je l'espère !

27 juin.

J'ai dormi jusqu'à 11 h 30 et je me sens si heureuse que j'éclate. Les oiseaux chantent sous ma fenêtre. C'est l'été, cher, cher ami, et je suis vivante et en bonne santé et heureuse dans mon cher petit lit. Hourra ! Je crois que je vais aller à un cours de vacances pour préparer ma rentrée. Et l'année prochaine, je pourrai peut-être suivre les cours de vacances à l'université ! Ce sera amusant !

1er juillet.

Le premier jour de juillet ! J'aimerais bien que Joël soit ici pour voir comme tout est beau. Il m'écrit déjà qu'il s'ennuie. Sa mère me paraît très gentille, mais elle n'est pas très intellectuelle, apparemment, et il aimerait bien avoir quelqu'un à qui parler, comme ma mère et mon père qui sont très stimulants. Il m'a fait promettre de les apprécier et de les aimer pour deux, pour lui et pour moi. J'avais cessé de prendre des leçons de piano depuis des mois, mais je recommence aujourd'hui. Mon professeur m'a donné un concerto incroyablement difficile, mais je suppose que je finirai par arriver à le jouer. Je veux que Joël soit fier de mes talents de musicienne aussi bien que des autres choses !

P.-S. Hier, j'ai fait une grande promenade avec Tim et nous avons vu Jan au drugstore et Marcie dans le parc, mais aucune n'a fait attention à moi. Youpi ! Maintenant que l'école est finie, elles ont sans doute renoncé à m'embêter. Je vais pouvoir être libre, enfin ! Ce serait merveilleux, glorieux, divin ! Je suis si heureuse que je voudrais mourir !

3 juillet.

Encore une belle, belle journée, sauf que papa a rapporté des photos de la tombe de grand-maman et de la pierre tombale qui a été finalement installée. Elle est très belle, mais je ne peux pas m'empêcher de me demander si son corps est déjà décomposé, et quant à celui de grand-papa, il doit être dans un état affreux ! Un jour, je vais prendre à la bibliothèque un livre sur l'embaumement et voir exactement comment ça se passe. Je me demande si papa et maman et Tim pensent à ces choses, ou si c'est seulement moi ? Est-ce que j'aurais l'esprit morbide, à cause de mon passé ? Non, sans doute, parce que Joël m'a dit qu'il s'était posé les mêmes questions à la mort de son père, et il n'avait que sept ans.

7 juillet.

Mrs Larsen s'est cassé une jambe dans un accident d'auto et je vais aller chez elle tous les jours pour faire le ménage et la cuisine pour Mr Larsen et m'occuper du bébé jusqu'à ce que la mère de Mrs Larsen arrive. (Bon entraînement pour l'avenir !) La petite Lou Anne est adorable et je serai heureuse de m'occuper d'elle. Faut que je file maintenant. (J'espère que Mr Larsen ne prendra pas tout le temps ses repas à l'hôpital, parce que je veux m'entraîner à faire la cuisine.)

À bientôt.

(?)

Mon cher, cher et précieux ami,

Je suis si reconnaissante qu'on ait permis à maman de t'apporter dans ton vieux petit coffret cadenassé. J'ai été terriblement gênée quand l'infirmière m'a obligée à ouvrir la cassette devant elle pour t'en sortir, avec mes crayons et mes stylos. Mais je suppose qu'ils sont simplement prudents et qu'ils voulaient voir si tu ne cachais pas des drogues. Je ne me sens pas vraie. Je dois être quelqu'un d'autre. Je n'arrive pas à croire qu'une chose pareille m'est vraiment arrivée. La fenêtre est couverte d'un grillage de gros fil de fer : je suppose que c'est mieux que des barreaux mais je devine quand même que je suis dans une espèce de prison-hôpital.

J'ai essayé de comprendre, de me souvenir, je n'y arrive pas. Les infirmières et les médecins me répètent que je vais déjà mieux mais j'ai toujours les idées embrouillées. Je ne peux pas fermer les yeux parce que les vers grouillent toujours sur moi. Ils me rongent. Ils se glissent dans mon nez, ils me grignotent la bouche et, ah, mon Dieu... Je dois te ranger dans ton coffret parce que les asticots glissent de mes foutues mains grouillantes sur tes pages. Je vais t'enfermer à clef, tu ne risqueras rien.

(?)

Aujourd'hui, je vais mieux. Ils ont enlevé les pansements de mes mains et je ne m'étonne plus qu'elles m'aient fait si mal. Le bout de tous mes doigts est déchiré et deux ongles ont été complètement arrachés et les autres sont cassés presque en deux. Ça me fait mal d'écrire, mais je dois le faire, sinon je deviendrai folle en plein. Je voudrais écrire à Joël, mais pour lui dire quoi, et d'abord personne ne pourrait lire ce griffonnage puisque mes deux mains sont bandées comme des gants de boxe. Je suis toujours grouillante de vers, mais je commence à m'habituer à eux, à moins que je ne sois déjà morte et qu'on fasse simplement des expériences avec mon âme ?

(?)

Les vers mangent d'abord mes organes féminins. Ils ont déjà complètement rongé mon vagin et mes seins et maintenant ils s'attaquent à ma bouche et à ma gorge. J'aimerais bien que les médecins et les infirmières laissent mourir mon âme ; mais ils poursuivent leurs expériences et ils essayent de réunir le corps à l'esprit.

(?)

Ce matin à mon réveil, j'avais toute ma tête et je me sentais bien. Je pense que le mauvais voyage est fini. L'infirmière me dit que je suis ici depuis dix jours et quand je relis ce que j'ai écrit j'ai l'impression que j'ai vraiment perdu les pédales.

(?)

Aujourd'hui, on a placé mes mains sous une espèce de lampe à bronzer pour accélérer la guérison. On ne m'a pas encore donné de miroir, mais je sens que ma figure est toute arrachée aussi et mes genoux, mes pieds, mes coudes, en fait tout mon corps est blessé et meurtri. Je me demande si mes mains auront un jour l'air de mains. Le bout de mes doigts ressemble à des hamburgers grillant sous la lampe à bronzer, et on m'a donné une bombe aérosol, pour calmer la douleur. Mes mains ne sont plus bandées et je le regrette, parce que je suis obligée de les regarder de très près pour être sûre qu'elles ne sont pas pleines de vers.

(?)

Une mouche est entrée dans ma chambre aujourd'hui et je ne pouvais pas arrêter de hurler. J'avais si peur qu'elle vienne pondre de nouveaux œufs d'asticots sur ma figure, mes mains et mon corps. Il a fallu deux infirmières pour la tuer. Je ne peux pas laisser les mouches venir sur moi. Il va peut-être falloir que je cesse de dormir.

(?)

Je viens de me lever pour aller me regarder dans la glace. J'ai des attelles à quatre orteils, alors je suppose qu'ils sont fracturés aussi, mais quoi qu'il en soit, je me suis à peine reconnue. Ma figure est enflée, et bouffie, couverte de bleus et d'égratignures, et mes cheveux ont été arrachés par plaques entières, si bien que je suis à moitié chauve. Ce n'est peut-être pas vraiment moi.

(?)

En me levant, je me suis refracturé deux orteils et on les a mis dans le plâtre. Papa et maman viennent me voir tous les jours, mais ils ne restent pas longtemps ; il n'y a pas grand-chose à dire, tant que mon esprit ne se sera pas remis en marche.

(?)

J'ai des vertiges, mais l'infirmière me dit que c'est normal parce que j'ai eu une commotion cérébrale à la suite d'un choc. Les vers sont presque tous partis. Ce doit être l'aérosol qui les tue.

(?)

J'ai découvert comment j'ai pris l'acide. Papa dit que quelqu'un en a mis sur les cacahuètes au chocolat et ça doit être vrai, parce que je me souviens d'avoir mangé les cacahuètes après avoir fait la toilette du bébé. Sur le moment, j'ai pensé que Mr Larsen les avait laissées pour moi, pour me faire une surprise. Mais à présent que j'y réfléchis, je ne comprends pas pourquoi j'ai pensé que Mr Larsen était venu et reparti sans rien dire. J'ai un trou. D'ailleurs, je suis stupéfaite de pouvoir me rappeler quoi que ce soit. Je suppose que quel que soit le mal que je me fais, mon esprit continue de fonctionner. Le médecin me dit que c'est normal, parce qu'il en faut vraiment beaucoup pour mettre le cerveau K.-O. J'espère qu'il a raison, parce qu'il me semble que j'ai déjà supporté beaucoup de choses.

Bref, je me souviens que les bonbons m'ont rappelé grand-papa, parce qu'il mangeait tout le temps des cacahuètes enrobées de chocolat. Et je me souviens d'avoir eu soudain un vertige et des nausées. Je crois que j'ai voulu téléphoner à maman pour lui demander de venir me chercher avec le bébé, quand je me suis rendu compte que quelqu'un m'avait fait prendre de l'acide, je ne sais pas comment. C'est très confus, parce que lorsque j'essaye de me rappeler, il me semble que je ne vois que des lumières dansantes de toutes les couleurs, mais je me souviens très bien que j'ai essayé de former le numéro sur le cadran et qu'il fallait des éternités pour trouver les chiffres et tourner le cadran jusqu'au bout. Je crois que la ligne était occupée et je ne me rappelle pas très bien ce qui s'est passé ensuite, sinon que je hurlais et grand-papa était là pour m'aider, mais son corps ruisselait de vers et d'asticots luisants de toutes les couleurs, qui tombaient par terre derrière lui. Il a voulu me soulever dans ses bras, mais ils étaient ceux d'un squelette, il ne restait que les os. Le reste avait été complètement bouffé par les asticots grouillants et voraces qui le recouvraient. Ils mangeaient avidement, ils ne restaient pas en place. Les deux orbites vides étaient pleines de bêtes rampantes au corps blême et mou, qui se glissaient dans les chairs et en ressortaient, qui étaient phosphorescentes et qui dansaient et se marchaient dessus. Les vers et les parasites se sont mis à ramper et à courir et à glisser vers la chambre du bébé et j'ai voulu les écraser, leur marcher dessus, les tuer, les attraper avec mes mains, mais ils se multipliaient plus vite que je ne pouvais les tuer. Et alors ils se sont mis à grouiller sur mes mains, mes bras, mes jambes, la figure. J'en avais dans le nez, dans la bouche, dans la gorge, qui m'étouffaient, qui m'étranglaient. Des vers et des larves, des ténias, des asticots, des lombrics rongeaient mes chairs, la désintégraient, me grouillaient dessus, me consumaient.

Grand-papa m'appelait mais je ne pouvais pas abandonner le bébé et je ne voulais pas partir avec grand-papa, d'ailleurs, parce qu'il me faisait peur, il m'écœurait. Il était si mangé des vers que je le reconnaissais à peine. Il me montrait avec insistance un cercueil à côté du sien, et je voulais m'échapper, mais des milliers d'autres choses mortes et des personnes me poussaient dedans et fermaient le couvercle. Je hurlais, je hurlais et j'essayais de sortir du cercueil, mais ils ne voulaient pas me lâcher.

En me voyant maintenant, je suppose que lorsque j'ai voulu arracher les vers qui me recouvraient, j'ai dû arracher en même temps des poignées de chair et de cheveux. Mais je ne sais pas du tout comment je me suis cogné la tête. J'essayais peut-être de chasser le mauvais voyage à coups de poing, mais je ne me souviens plus et il me semble qu'il y a si longtemps et je suis morte de fatigue à force d'écrire. Jamais de ma vie je n'ai été aussi fatiguée.

(?)

Papa et maman croient que quelqu'un m'a droguée
à mon insu ! Ils le croient, ils le croient ! Ils me
croient ! Je devine qui a fait le coup, mais je suppose
qu'il ne sera jamais possible d'en être sûre. Alors, je
dois simplement me reposer et guérir comme le veulent mes parents. Je ne veux plus penser à ce qui
m'est arrivé. Grâce à Dieu, je n'ai pas fait de mal au
bébé. Merci, mon Dieu.

(?)

Dans quelques jours je vais être transportée dans
un autre hôpital. J'espérais pouvoir rentrer à la maison, parce que mes mains sont presque guéries et que
la plupart de mes ecchymoses commencent à disparaître. Le docteur dit qu'il me faudra attendre un an
avant que mes mains soient complètement normales,
et les ongles repoussés, mais d'ici quelques semaines
elles devraient déjà être moins horribles à voir.

Ma figure est presque normale et un petit duvet
commence à pousser sur les plaques chauves. Maman
a apporté des ciseaux et avec l'infirmière elle a coupé
mes cheveux courts, courts, courts. Ils sont un peu
hérissés et ça ne fait pas très professionnel, mais
maman dit que je pourrai allez chez le coiffeur pour
les faire égaliser, dans une semaine ou deux ou quand
je sortirai de l'autre hôpital, et d'ailleurs, je ne tiens
pas à me montrer avant d'avoir un peu repris figure
humaine.

J'ai toujours des cauchemars où il y a plein de vers,
mais j'essaye de me maîtriser et je n'en parle à personne. À quoi bon ? Je sais qu'ils ne sont pas vrais

et tout le monde le sait aussi, mais par moments, ils me semblent si réels que je peux sentir la chaleur gluante de leurs corps grouillants. Et chaque fois que mon nez ou une de mes cicatrices me démange, je dois me retenir d'appeler au secours.

(?)

Maman m'a apporté un paquet de lettres de Joël. Elle lui avait écrit pour lui dire que j'étais à l'hôpital, très malade, et depuis il a écrit tous les jours. Il a même téléphoné à la maison, un soir, mais maman lui a simplement dit que j'avais eu une espèce de dépression nerveuse.

Dans un sens, c'est vrai !

22 juillet.

Quand maman est venue me voir aujourd'hui, j'ai vu qu'elle avait pleuré, alors j'ai essayé d'être très forte et d'avoir l'air très heureuse. C'est une bonne chose, parce qu'ils vont m'envoyer chez les fous, dans un asile de dingues, un asile d'aliénés où je serai tout le temps avec des idiots, des lunatiques et des louftingues. J'ai si peur que je n'arrive plus à respirer. Papa a essayé de m'expliquer tout ça très calmement, professionnellement, mais je voyais bien qu'il était complètement déponné par cette histoire. Mais pas tant que moi ! Personne ne pourrait être aussi affolé !

Il m'a dit que lorsque mon cas avait été présenté au tribunal pour enfants, Jan et Marcie avaient témoigné toutes les deux et elles avaient dit que depuis des semaines j'essayais de leur vendre du L.S.D. et de la marijuana et qu'à l'école tout le monde savait que j'étais une camée et une revendeuse.

Toutes les circonstances étaient contre moi. J'ai un casier de droguée et papa m'a dit qu'en m'entendant crier, la voisine de Mrs Larsen et son jardinier se sont précipités pour voir ce qui se passait et pensant que j'étais devenue folle, ils m'ont enfermée dans un petit placard et ils ont couru voir le bébé qui avait dû être réveillé par mes cris, et puis ils ont appelé la police. Quand les flics sont arrivés, je m'étais déjà grièvement blessée et j'essayais d'arracher le plâtre des murs pour sortir de là et je m'étais cogné la tête contre la porte si violemment que je m'étais fracturé le crâne.

Maintenant, ils vont m'envoyer chez les dingues où je serai probablement à ma place. Papa dit que je n'y resterai sans doute pas longtemps et il va immédiatement s'occuper de me faire relâcher pour me confier à un bon psychiatre.

Papa et maman s'entêtent à appeler l'endroit où je vais aller un centre de jeunesse, mais ils ne trompent personne. Ils ne se trompent même pas eux-mêmes. On m'envoie dans un asile d'aliénés ! Et je ne comprends pas comment c'est possible. Comment est-ce possible ? D'autres gens ont fait des mauvais voyages et on ne les a pas envoyés chez les fous. Ils me disent que mes vers ne sont pas vrais et pourtant ils m'envoient dans un endroit qui est bien pire que tous les cercueils et tous les vers réunis. Je ne comprends pas comment une chose pareille peut m'arriver. Je crois que je suis tombée de la surface de la terre et que je ne m'arrêterai jamais de tomber. Mon Dieu, mon Dieu, faites qu'ils ne m'emmènent pas. Ne les laissez pas m'enfermer avec des fous. Ils me font peur. Faites que je puisse rentrer à la maison, dans ma chambre à moi et que je puisse m'endormir. Je vous en supplie, mon Dieu.

23 juillet.

L'assistante sociale est venue me chercher et m'a emmenée à l'hôpital psychiatrique où j'ai été inscrite et cataloguée et interrogée et c'est tout juste si on n'a pas pris mes empreintes digitales. Et puis j'ai été conduite chez le psychiatre et il m'a posé des questions, mais je n'avais rien à lui dire parce que je ne pouvais même plus penser. Je n'avais qu'une idée qui courait dans ma tête, j'avais peur, peur, peur.

Ensuite, ils m'ont fait suivre un vieux corridor sale, horrible, aux murs lépreux, qui sentait mauvais et ils m'ont poussée et ils ont fermé une porte sur moi, à clef. Mon cœur battait si fort que j'avais l'impression qu'il allait exploser et éclabousser tous les murs de sang. Je l'entendais cogner dans mes oreilles et je pouvais à peine mettre un pied devant l'autre.

Nous avons marché, marché dans un couloir sombre, interminable, et j'ai pu voir quelques-unes des personnes qui sont là et maintenant je sais bien que ce n'est pas ma place. Je n'arrive pas à croire que je suis enfermée dans un monde de fous. Ils sont partout. Je ne suis pas à ma place ici et pourtant j'y suis. C'est de la folie, non ? Alors tu vois, mon ami, mon cher et unique ami, il n'y a pas d'autre endroit pour moi, parce que le monde entier est fou.

24 juillet.

La nuit a été interminable. Il pourrait se passer n'importe quoi au monde ici, et personne n'en saurait jamais rien.

25 juillet.

Ce matin, on m'a réveillée à 6 h 30 pour un petit déjeuner que je n'ai pas pu manger, j'étais secouée de frissons, j'avais à peine les yeux ouverts. On m'a conduite le long d'un grand corridor sombre jusqu'à une grande porte de fer avec une fenêtre grillagée au milieu. Une clef a grincé dans l'énorme serrure et nous nous sommes retrouvés de l'autre côté, et puis les clefs ont grincé de nouveau. Les infirmiers de jour parlaient beaucoup, mais je ne les entendais pas. J'ai les oreilles bouchées, ce doit être la peur. Après ça, on m'a conduite au Centre de Jeunesse, à deux bâtiments de là, et j'ai vu deux hommes, qui bavaient et qui ratissaient des feuilles mortes sous la surveillance d'un autre infirmier.

Au Centre, il y avait cinquante, peut-être soixante, ou même soixante-dix gosses qui tournaient en rond avant d'aller en classe ou je ne sais où. Ils paraissaient tous assez normaux, à part une grande fille qui avait l'air d'avoir mon âge, mais qui était beaucoup plus grande et plus grosse que moi. Elle était allongée stupidement sous un billard électrique dans la grande salle, et il y avait aussi un jeune garçon qui ne faisait que hocher la tête en marmonnant comme un crétin.

Une cloche a sonné et tous les gosses sont partis, sauf les deux idiots. On m'a laissée dans la salle avec eux. Finalement, une grosse dame (l'infirmière de l'école) est arrivée et elle a dit que si je voulais être privilégiée et aller à l'école, il faudrait que j'aille voir le docteur Miller et que je signe un papier m'engageant à vivre selon tous les règlements du Centre.

J'ai dit que j'étais prête à y aller, mais le docteur Miller n'était pas là alors j'ai passé le reste de la matinée dans la salle de récréation avec les deux crétins, l'une qui dormait et l'autre qui hochait la tête. Je me demandais quel effet dingue je pouvais leur faire avec ma figure marquée et ma coiffure type tondeuse à gazon.

Pendant toute la matinée interminable, des cloches ont sonné et des gens sont entrés et ressortis. Il y avait une pile de magazines sur une petite table ronde, mais je ne pouvais pas les lire. Mon esprit galopait à un million de kilomètres-minute et n'arrivait nulle part.

À 11 h 30, Marjorie, l'infirmière, m'a indiqué où était la salle à manger. Des gosses allaient et venaient en tous sens, et aucun n'avait l'air assez fou pour être enfermé là, mais ils devaient l'être tous. Pour déjeuner nous avons eu des macaronis au fromage avec des petits bouts de saucisse dedans, des haricots verts en conserve et, comme dessert, une espèce de pudding pâteux. Essayer de manger aurait été une belle perte de temps. Rien ne pouvait faire passer la grosse boule que j'avais dans la gorge.

Des tas de gosses riaient et se taquinaient et je me suis aperçue qu'ils appellent leurs professeurs et leurs thérapeutes et les assistantes sociales par leur prénom. Tout le monde sauf les médecins, je pense. Aucun n'avait l'air aussi terrifié que moi. Avaient-ils eu peur en arrivant ici ? Avaient-ils encore peur en faisant

162

semblant d'être à l'aise ? Je ne comprends pas comment ils peuvent vivre ici. Franchement, le Centre de Jeunesse est moins épouvantable que les dortoirs. On dirait presque une petite école, mais l'hôpital lui-même est intolérable. Les couloirs nauséabonds, les gens hagards, les portes verrouillées, les barreaux. C'est un abominable cauchemar, un mauvais voyage, c'est plus terrible que tout ce qu'on peut imaginer.

Le docteur Miller est enfin arrivé dans l'après-midi et j'ai pu aller le voir. Ils m'a dit que l'hôpital ne pouvait pas m'aider, que le personnel et les professeurs ne pouvaient pas m'aider, et que le programme qui s'était révélé excellent ne pouvait pas m'aider si je ne voulais pas m'aider moi-même ! Il m'a dit aussi qu'avant de pouvoir résoudre mon problème, je devais reconnaître que j'en avais un, mais comment pourrais-je faire ça puisque je n'ai pas de problème ? Je sais maintenant que je pourrais résister à la tentation de la drogue même si je me noyais dans du L.S.D. Mais comment pourrais-je jamais faire croire à personne, à part papa et maman et Tim et Joël, j'espère, que la dernière fois je l'ai prise à mon insu, sans le vouloir ? Ça paraît incroyable que la première fois de ma vie que je me suis droguée et la dernière fois, qui m'a conduite à l'asile de fous, c'était à mon insu. Mais personne ne pourra jamais croire qu'on puisse être aussi bête. J'ai du mal à le croire moi-même, et pourtant je sais que c'est vrai.

Et puis, d'ailleurs, comment puis-je avouer quoi que ce soit quand j'ai si peur que je ne peux même pas parler ? Dans le bureau du docteur Miller j'ai répondu par des signes de tête pour ne pas avoir à ouvrir la bouche. D'ailleurs, aucun mot n'en serait sorti.

À 14 h 30 les gosses sont sortis des classes, et certains sont allés jouer au ballon et d'autres sont restés là pour les soins en groupe.

Je me rappelle maintenant ce que m'ont dit le premier médecin et l'assistante sociale. Les gosses sont partagés en deux groupes. Dans le Groupe Un, les enfants essayent d'obéir à tous les règlements et sont finalement relâchés. Ils bénéficient de tous les privilèges. Le Groupe Deux n'a droit à rien. Ils n'obéissent pas aux règlements, ils se mettent en colère ou bien ils jurent, ils volent, ils couchent ou je ne sais quoi, ce qui fait qu'ils sont surveillés de près. J'espère qu'il n'y a pas d'herbe ici. Je sais que je pourrai résister mais je ne crois pas que je pourrais supporter de nouveaux problèmes sans devenir vraiment folle. Je suppose que les toubibs savent ce qu'ils font mais je me sens si seule, perdue, terrifiée ! Je crois que je perds la tête, vraiment.

À 16 h 30, c'était l'heure pour nous de regagner nos salles et de nous faire de nouveau enfermer comme des animaux dans un zoo. Dans mon bâtiment, il y a six autres filles et cinq garçons, et j'en remercie le Ciel car je n'aurais jamais pu y retourner toute seule. Cependant, j'ai remarqué qu'ils frémissaient tous un petit peu (comme moi) quand les portes ont claqué sur nous.

Dans le couloir, une femme âgée a dit que tout avait été paisible et calme jusqu'à maintenant et une toute petite fille s'est retournée et lui a répliqué : « Va te faire mettre. » J'étais si surprise que je m'attendais à ce que le plafond lui tombe sur la tête, mais personne n'a fait attention.

27 juillet.

La petite fille dont je t'ai parlé hier est dans la chambre à côté de la mienne. Elle a treize ans et elle semble toujours au bord des larmes. Quand je lui ai demandé depuis combien de temps elle était là elle m'a répondu « depuis toujours, depuis toujours ».

À l'heure du dîner, elle a marché avec moi jusqu'au réfectoire et nous nous sommes assises sur le même banc, sans manger, à une des longues tables. Pour le reste de la soirée on nous a laissés errer dans le bâtiment, sans rien à faire et nulle part où aller. Je voudrais de tout mon cœur raconter à papa et maman comment c'est ici, mais je ne le ferai pas. Je ne veux pas qu'ils aient encore plus de soucis.

Une des femmes âgées, dans cette salle, est une alcoolique lubrique et elle me fait très peur, mais je m'inquiète plus encore pour Babbie. Qu'est-ce qui peut empêcher cette sale créature de lui faire des propositions malhonnêtes ? Elle a fait des gestes quand nous sommes passées près d'elle ce soir et j'ai demandé à Babbie s'il n'y aurait pas moyen de faire quelque chose. Mais Babbie a haussé les épaules et elle a dit que nous pourrions sans doute nous plaindre à l'infirmière, mais que le mieux était simplement de l'ignorer.

Et puis il s'est passé une chose tout à fait étrange et terrifiante. Nous étions assises dans une des salles de « récréation » et nous regardions les autres qui nous regardaient. C'était comme des singes observant des singes et quand j'ai demandé à Babbie si elle ne préférerait pas que nous allions bavarder dans ma chambre elle m'a répondu que nous n'avions pas le droit de faire l'amour dans les chambres mais que nous pourrions trouver un coin tranquille demain dans

165

un des débarras. Je ne savais absolument pas que dire ! Elle croyait que je voulais la séduire et j'étais tellement suffoquée que je suis restée muette. Plus tard, j'ai essayé de m'expliquer, mais elle s'est mise à parler d'elle-même comme si je n'étais pas là.

Elle a dit qu'elle avait treize ans et qu'elle se droguait depuis deux ans. Ses parents ont divorcé quand elle avait dix ans et elle a été confiée à son père qui est entrepreneur et qui s'est remarié. J'ai eu l'impression qu'au début ça a bien marché, mais elle était jalouse des enfants de sa nouvelle mère et elle se sentait étrangère à l'écart. Alors elle s'est mise à passer de plus en plus de temps hors de la maison, en disant à sa belle-mère qu'elle avait du mal à étudier, qu'elle allait à la bibliothèque, etc. Les prétextes habituels, alors qu'elle séchait la moitié de ses cours. Mais elle avait quand même de bonnes notes, alors ses parents ne faisaient pas trop attention. Finalement l'école a écrit qu'elle manquait trop souvent. Mais elle a dit à son père que l'école était si grande, les classes tellement nombreuses que la plupart du temps on ne savait pas qui était là et qui était absent. Je ne sais pas pourquoi son père a cru cette histoire-là, mais il a dû la croire. Il devait aimer sa tranquillité.

Mais pendant ce temps-là, Babbie avait fait la connaissance d'un homme de trente-deux ans dans un cinéma et il lui avait fait prendre de la drogue. Elle ne m'a pas raconté tous les détails, mais je suppose qu'il lui a appris bien autre chose. Quelques mois plus tard il a disparu et elle a découvert que c'était très facile de rencontrer d'autres hommes. En fait, à douze ans, elle était déjà prostituée. Elle m'a raconté tout ça si calmement que j'en avais le cœur déchiré. Mais même si j'avais pleuré (ce que je n'ai pas fait), je crois qu'elle ne s'en serait même pas aperçue tellement elle était loin de tout ça.

Elle se droguait depuis un an quand ses astucieux parents ont commencé à avoir des soupçons. Mais, même alors, ils n'ont pas attaqué le problème de front. Ils lui ont simplement posé un tas de questions, ils lui ont cassé les pieds, alors elle a entôlé le premier type rencontré au cinéma et avec l'argent volé elle a pris le car pour Los Angeles. Une copine lui avait dit que là-bas les B.P.[1] se la coulaient douce et, à en croire Babbie, la copine avait raison. Elle n'était pas là depuis deux jours qu'elle faisait la connaissance d'une « amie », une femme très élégante qui habitait un grand appartement et qui y a emmené Babbie. Il y avait plusieurs filles de son âge dans le salon et des pilules de toutes sortes dans des compotiers et des drageoirs un peu partout. En une demi-heure, elle était complètement défoncée.

Plus tard, quand elle est redescendue sur terre, la femme lui a dit qu'elle pourrait habiter là et aller à l'école. Elle a dit qu'elle ne travaillerait que deux heures par jour, dans l'après-midi. Alors, le lendemain, elle était inscrite dans une école comme la nièce de la femme et elle commençait à vivre comme une B.P. de luxe. La femme avait quatre nièces qui habitaient chez elle, quand Babbie y était. Le chauffeur les conduisait à l'école et venait les chercher, et elles ne voyaient jamais la couleur de l'argent qu'elles gagnaient. Babbie m'a dit que la plupart du temps elles restaient dans l'appartement à se regarder comme des singes, sans jamais parler ni aller nulle part.

Ça m'a paru tellement incroyable que j'ai voulu lui poser des questions, mais elle a continué de parler et elle paraissait si triste et si distante que je crois

---

1. Bébé prostituée.

qu'elle disait vraiment la vérité. D'ailleurs, après ce que j'ai vécu, je crois que je suis prête à croire n'importe quoi. Tu ne trouves pas que c'est triste d'en arriver au point où tout est si incroyable qu'on croit n'importe quoi ? Moi je trouve ça bien triste, mon cher journal, mon ami, je le pense très sincèrement et très désespérément.

Enfin, au bout de quelques semaines, Babbie a fichu le camp et elle est allée à San Francisco en stop. Mais à San Francisco, quatre types l'ont tabassée et violée. Quand elle a voulu mendier de quoi téléphoner à ses parents, personne n'a voulu lui donner d'argent. Elle m'a dit qu'elle serait rentrée chez elle sur les genoux et qu'elle se serait laissé enchaîner dans un placard, mais quand je lui ai demandé pourquoi elle ne s'était pas adressée à la police ou à un hôpital, elle s'est mise à hurler et à cracher par terre.

Je suppose que plus tard elle a fini par téléphoner à ses parents, mais quand ils sont arrivés à San Francisco elle avait déjà mis les voiles avec un type qui avait installé son propre laboratoire pour fabriquer du L.S.D. Ils se sont trouvés tous les deux embarqués dans une espèce de communauté de merde et finalement elle a atterri ici, comme moi.

Ah ! cher journal, je suis si reconnaissante ! Comme je suis heureuse de t'avoir, parce qu'il n'y a rien, absolument rien à faire dans cette cage d'animaux et tout le monde est si dingue que je ne sais pas comment je pourrais vivre sans toi.

Il y a une femme, quelque part au bout du couloir, qui gémit et qui geint et qui fait des bruits terrifiants. Même en mettant mes pauvres mains cassées sur mes oreilles et l'oreiller sur ma tête, j'entends ces horribles sons gargouillants. Est-ce qu'un jour je pourrai dormir sans être obligée de garder ma langue entre mes dents pour les empêcher de claquer, et sans être emplie de terreur en songeant à cet endroit ? Ça ne peut pas être vrai ! Je fais encore mon mauvais voyage. C'est sûrement ça. Je crois que demain ils vont amener des tas de petits enfants pour nous jeter des cacahuètes entre les barreaux.

28 juillet.

Cher journal,
Je dois vraiment avoir perdu l'esprit ou tout au moins je ne le contrôle plus, parce que je viens d'essayer de prier. Je voulais demander à Dieu de m'aider, mais je ne pouvais prononcer que des mots noirs, inutiles, qui tombaient de ma bouche sur le sol et roulaient dans les coins et sous le lit. J'ai essayé, j'ai vraiment essayé de me rappeler ce que je devais dire après « Notre père qui êtes aux cieux... » mais je ne trouve que des mots sans suite, inutiles, artificiels, lourds, qui n'ont aucune signification et aucun pouvoir. Ils sont comme le délire de cette femme idiote et gargouillante qui fait maintenant partie de ma famille de détenue. Des élucubrations inutiles, tâtonnantes, sans importance, sans pouvoir et sans gloire. Parfois, je pense que la mort est le seul moyen de fuir cette chambre.

29 juillet.

Aujourd'hui, on m'a accordé le privilège d'aller à l'école et ici, dans cet établissement, l'école est un privilège. Rien ne pourrait être plus sombre ni plus sinistre que de rester assise sans rien à faire pendant des millions d'heures interminables.

J'ai dû pleurer en dormant parce que, ce matin, mon oreiller était tout mouillé et je suis complètement épuisée. Nous avons deux professeurs. Ils ont l'air gentils et la plupart des gosses semblent presque normaux. Je suppose que c'est parce qu'ils ont peur d'être renvoyés dans le no man's land, un univers où l'on erre tout seul éternellement.

Je suppose que l'on peut s'habituer à tout, même à être enfermé dans un asile de fous. Ce soir, quand ils ont claqué la lourde porte et l'ont fermée à clef, je ne me suis même pas sentie déprimée. Ou bien je n'ai plus de larmes pour pleurer.

J'ai bavardé un moment avec Babbie, et je lui ai fait un chignon, mais la joie et la spontanéité ont disparu de ma vie. Je commence à me traîner, à exister à peine, comme elle.

Les autres filles de notre salle parlent et plaisantent et regardent la télé et vont se cacher dans les cabinets pour fumer, mais Babbie et moi essayons simplement de ne pas perdre complètement l'esprit.

Tout le monde fume ici, et les couloirs sont pleins de fumée grise qui tournoie comme si elle ne pouvait aller nulle part. Elle a l'air aussi prisonnière et affolée que les détenus.

Les infirmiers portent tous de gros trousseaux de clefs accrochés à leurs tabliers. Le tintement constant est déprimant et ne cesse de me rappeler que je suis enfermée.

30 juillet.

Ce soir, Babbie est descendue à la salle de récréation pour regarder la télé et je suis jalouse. Est-ce que je suis en train de devenir une vieille gouine furieuse parce que l'enfant est allée accorder son affection à une vieille femme qui a un paquet de cigarettes avec elle ?

Ce n'est pas possible ! Non, une chose pareille ne peut pas m'arriver !

31 juillet.

Aujourd'hui, après l'école, nous avons eu une séance de traitement en groupe dans la grande salle du Centre de Jeunesse. C'était très intéressant d'écouter les gosses. Je mourais d'envie de leur demander ce qu'ils avaient ressenti en arrivant ici, mais je n'osais pas ouvrir la bouche. Rosie était troublée parce qu'elle avait l'impression que les gosses l'ignoraient et la mettaient en quarantaine et ils lui ont tous dit qu'il était impossible de s'entendre avec elle, parce qu'elle essayait de monopoliser les gens et qu'elle était collante. Au début elle était furieuse et elle a juré, mais je crois qu'avant la fin de la séance elle s'est mise à se comprendre un peu mieux, du moins elle aurait dû.

Ensuite ils ont discuté pour expliquer comment les autres « nourrissaient leurs propres problèmes », ce qui était intéressant. Il se peut que le temps que je passe ici fasse de moi une personne plus capable.

Après la séance, Carter, qui est le président actuel du groupe (ils en élisent un toutes les six semaines), m'a prise à part et m'a parlé. Il m'a dit que je devais me sentir libre de révéler mes pensées et mes colères et mes peurs pour qu'on les examine. Il m'a dit que si on les garde en soi elles prennent une importance disproportionnée. Et il m'a dit aussi que, lorsqu'il est arrivé ici, il a eu si peur que pendant trois jours il a littéralement perdu la voix. Il ne pouvait pas parler, il était physiquement muet ! Il a été envoyé ici parce que personne ne pouvait rien faire de lui. Il a été dans des maisons de correction, dans des centres de redressement, et chez tant de parents adoptifs qu'il ne les compte plus, mais la pensée d'être dans un asile psychiatrique lui a vraiment fait perdre l'esprit !

Il m'a dit que nous pouvions quitter le Groupe Deux si nous progressions et prouvions que nous nous contrôlions. Il a fait partie deux ou trois fois du Groupe Un, mais il a toujours été renvoyé à cause de son sale caractère. Il m'a dit encore que dans deux semaines les gosses du Groupe Un vont faire une excursion en car pour aller visiter des grottes dans les montagnes. Ah ! que je voudrais faire cette excursion ! Il faut que je sorte d'ici ! Il le faut, il le faut !

1er août.

Papa et maman sont venus aujourd'hui. Ils me croient toujours et papa est allé voir Jan et il pense qu'il va bientôt pouvoir la persuader de revenir sur ses déclarations et nier que j'essayais de lui vendre de la drogue.

Le traitement de groupe est merveilleux. Peut-être, maintenant, je vais pouvoir tirer profit de cet endroit, au lieu d'être brisée.

2 août.

J'ai passé un moment avec le docteur Miller et j'ai l'impression qu'il me croit aussi ! Il a eu l'air enchanté quand je lui ai dit que j'avais l'intention de faire du travail social et il pense que l'on a de plus en plus besoin de gens qui comprennent ce qui se passe ici. Il m'a proposé d'interroger certains des gosses sur leurs milieux, ce qui me permettra peut-être de mieux comprendre les gens et leurs motivations, mais il m'a avertie que je ne devrai pas être choquée par certaines choses que je découvrirai. Je crois qu'il s'imagine que je suis encore capable d'être stupéfaite par ce qui se passe dans ce monde. Heureusement qu'il ne connaît pas mon passé... du moins je le crois.

Au début, je pensais que je serais trop intimidée pour demander carrément aux gosses de me parler d'eux-mêmes. Mais le docteur m'a dit que si je leur expliquais pourquoi je voulais tout savoir, ils feraient certainement leur possible pour m'aider. Quand même, j'ai l'impression que je vais être indiscrète. Je ne sais vraiment pas ce que je répondrais si on m'interrogeait sur ma vie. Je dirais peut-être la vérité, après tout, sauf peut-être les trucs les plus épouvantables.

Ce soir j'ai regardé la télé pendant un moment, mais il n'y a que six jeunes dans notre bâtiment et dix dames âgées, et comme nous devons voter pour savoir quel programme nous regarderons, elles sont toujours en majorité. D'ailleurs, je crois que je préfère lire ou écrire. J'essaye de persuader Babbie de lire et elle demandera peut-être un livre à la bibliothèque du Centre de Jeunesse, demain, si j'insiste. Je suis certaine que ça l'aiderait à oublier ses malheurs, si seulement elle pouvait se concentrer. Son assistante sociale essaye de lui trouver des parents adoptifs, mais avec son passé c'est assez difficile, et apparemment ses propres parents ne veulent plus d'elle. C'est bien triste !

3 août.

Il a fait une journée splendide, chaude, paresseuse. Nous étions allongés sur la pelouse quand j'ai enfin trouvé le courage de demander à Tom X..., qui est dans le dortoir des hommes de mon bâtiment, pourquoi il était enfermé.

Tom est un garçon intelligent, très gentil, très beau. Il a quinze ans et c'est le genre d'homme qui vous met tout de suite à l'aise. Il m'a dit qu'il vient d'une bonne famille, solide et confortable, qui s'entend bien, et qu'au lycée il a été élu le garçon le plus sympathique de l'année. Je suppose que je serais élue la reine des idiotes si on faisait ça à mon école.

Bref, au printemps dernier, trois de ses copains et lui ont entendu parler de la colle qu'on renifle, et ils ont trouvé ça excitant, alors ils ont voulu essayer. Il me dit qu'ils se sont défoncés et que c'était formidable. À son expression, j'ai vu qu'il le pensait toujours.

Il me dit qu'ils ont fait beaucoup de bruit, ils ont crié, ils se sont roulés par terre et le papa du gosse chez qui ils étaient leur a demandé de se tenir tranquilles. Il n'imaginait même pas qu'ils se défonçaient, il croyait qu'ils se bagarraient comme d'habitude.

Une semaine plus tard, la même bande a essayé le scotch du papa, mais ils ne l'ont pas beaucoup aimé et ils ont découvert que c'était plus difficile à trouver que l'herbe et les pilules. Il m'a dit, ce que je savais déjà, que les parents ne se rendent jamais compte qu'il

174

leur manque des tranquillisants, des somnifères, des remèdes contre le rhume ou pour maigrir ou tous les autres trucs qui permettent aux gosses de se donner un « coup de fouet » quand ils n'ont rien d'autre à leur disposition. Alors il a commencé à se droguer en douce, mais au bout de six mois il avait tellement besoin d'argent qu'il a dû chercher du travail. Alors il s'est présenté dans la boîte la plus logique, un drugstore. Et il a fallu pas mal de temps au patron pour deviner où passait son stock de pilules. Comme il était brave il a simplement dit qu'il n'avait plus besoin d'aide, pour éviter des ennuis à la famille de Tommy. Il n'a rien dit et personne n'a su ce qui s'était passé, à part Tommy et son patron. Mais à ce moment, Tom était passé aux drogues « dures » et il s'en foutait d'être renvoyé. Un copain lui a fait connaître le « smack » et il s'est mis à fourguer de la drogue au lycée pour avoir du fric. Et finalement il se retrouve ici mais, à mon avis, il est toujours camé en plein parce que rien que de parler de la drogue ça le défonce. J'ai remarqué aussi que Julie, qui était assise près de nous, avait presque la même réaction. C'est comme quand on voit quelqu'un bâiller. C'est contagieux et on finit par bâiller aussi. Je suis bien heureuse de n'avoir rien senti, mais je regrette presque d'avoir posé ces questions, parce que je vois bien que Julie et Tom sont pressés de sortir d'ici pour retourner à leur truc.

Ah ! comme je déteste cet endroit ! L'urine empeste dans les cabinets dégueulasses. Les petites cages, garnies de barreaux, où les gens sont enfermés s'ils n'obéissent pas. Une vieille dame qui est pyromane est enfermée dans une de ces cages presque tout le temps et je ne peux pas le supporter ! Les gens sont abominables, pire que tout.

4 août.

Aujourd'hui nous sommes allés nous baigner. Au retour, dans le car, j'étais assise à côté de Margie Ann et elle dit qu'elle n'a pas du tout envie de sortir de cette boîte. Elle dit que dès qu'elle sera libérée les gosses viendront la tourmenter et ils chercheront à la brancher de nouveau et elle sait qu'elle ne pourra pas refuser ; là-dessus elle m'a regardée et elle m'a dit : « On pourrait foutre le camp, toutes les deux. Je sais où je pourrais dégotter un sac d'herbe en une minute. »

5 août.

Papa et maman sont encore venus aujourd'hui et ils m'ont apporté une lettre de Joël de dix pages ! Maman voulait que je la lise tout de suite, mais j'ai préféré attendre d'être seule. C'est trop personnel et je ne veux pas la partager avec quelqu'un d'autre que toi, mon cher journal. Et puis j'ai un peu peur parce que papa a tout dit à Joël, toute la vérité sur moi, du moins tout ce qu'il sait. Alors j'aime autant attendre avant de lire cette lettre.

Papa m'a dit aussi qu'il a fini par persuader Jan de signer une déposition comme quoi elle avait menti et que je ne vendais pas de drogue à l'école. Maintenant papa et elle essayent d'obliger Marcie à se rétracter. Papa me dit que si elle veut bien, je pourrai sortir d'ici en un rien de temps.

J'ai peur d'espérer mais je ne peux pas m'en empêcher et comment pourrais-je espérer dans cet endroit désespérant ? J'ai envie de pleurer.

Plus tard.

La lettre de Joël est fantastique. J'avais vraiment peur de la lire mais maintenant je suis bien heureuse. Joël est l'être le plus compatissant, le plus chaleureux, le plus compréhensif du monde. Je sais que je n'aurai plus jamais de problèmes de drogue, mais je suis tellement idiote, puérile, bébé, bornée, déraisonnable, inepte qu'il va vraiment falloir que je me donne du mal pour que Joël soit fier de moi. Ah ! je voudrais qu'il soit là près de moi, et je voudrais être forte comme le reste de ma famille. Je le voudrais de toute mon âme !

8 août.

Ah ! le beau jour, fantastique, glorieux, merveilleux, incroyable ! Jour de soleil plein de chants d'oiseaux ! Je ne trouve pas de mots pour exprimer mon bonheur. Je sors d'ici ! Je vais être libre ! Je rentre à la maison ! Tous les papiers seront signés aujourd'hui et papa et maman viennent me chercher demain. Ah ! comme demain est loin ! J'ai envie de hurler de joie mais je me retiens car ils viendraient probablement m'enfermer. Honnêtement, je suis injuste quand je parle de cet asile. Il est terrible, sans doute, mais moins épouvantable que la maison de correction. Kay m'a dit que si elle avait été envoyée en maison de correction, elle aurait appris tous les trucs les plus sordides. Ici, elle se contente de ceux qu'elle connaît. Nous en sommes tous là, je suppose.

Je n'arrive pas à croire que je vais rentrer à la

maison. Quelqu'un là-haut doit me pistonner. Mon bon vieux grand-papa, sans doute.

Plus tard.

Je ne pouvais pas dormir alors je me suis réveillée et j'ai songé à Babbie. Je me sens vraiment coupable, parce que je vais partir alors qu'elle va rester. Peut-être, quand je serai redevenue forte et que le cauchemar de mon passé se sera estompé, nous pourrons revenir la chercher. Mais je suppose que je suis idiote de le croire. La vie n'est pas aussi simple et c'est bien dommage. Mais je ne veux plus y penser.

9 août.

Enfin, enfin, finalement et pour toujours, je suis à la maison. Tim et Alex étaient si heureux de me revoir que j'ai eu honte de moi et de ce que j'avais fait. Et puis Bonheur est venu me lécher la figure et les mains, alors j'ai cru que maman allait pleurer et, au fond, j'étais contente que grand-papa et grand-maman ne soient plus là pour voir ce qui était arrivé.

Papa devait comprendre ce que je ressentais parce qu'il est toujours si gentil et si tendre. Cher, cher papa ! Il comprend tout. Au bout d'un moment, après avoir bavardé, il m'a conseillé d'aller me reposer et d'essayer de dormir et c'était vraiment formidable parce que j'avais envie d'être absolument seule dans ma chambre avec mes jolis rideaux à moi et mon papier peint et mon propre lit et sentir ma maison à moi, autour de moi, et toute ma chère famille en bas.

Je suis si, si heureuse qu'ils ne me détestent pas, parce que moi, je ne peux pas me supporter, par moments.

10 août.

Cher journal,
Il est deux heures du matin et je viens d'éprouver une des plus grandes joies de ma vie. J'ai essayé de prier. À vrai dire, je voulais remercier Dieu de m'avoir retirée de cette sale boîte, de m'avoir ramenée à la maison, mais alors je me suis mise à penser à Jan et à Marcie et pour la première fois je voulais que Dieu les aide aussi. Je voulais qu'il les aide à guérir et qu'elles ne soient pas enfermées dans un hôpital psychiatrique. Mon Dieu, je vous en supplie, faites, faites qu'elles guérissent. Aidez-les, je vous en supplie, et aidez-moi aussi.

12 août.

Papa a une occasion d'aller dans l'Est pour deux semaines, pour finir une tournée de conférences, c'est pas formidable ? Naturellement, ce n'est pas si chouette pour le professeur S. qui a eu une crise cardiaque, et j'espère qu'il ira mieux très bientôt ; mais papa va le remplacer, à la dernière minute, et nous allons tous aller habiter leur maison fantastique et tout, c'est pas chouette ?

14 août.

Il ne restait qu'une seule chambre à deux lits dans le motel, alors Alex et moi nous avons un lit, et papa et maman l'autre, et Tim doit coucher par terre mais ça ne l'ennuie pas, il dit que c'est comme s'il campait. Nous tirons au sort pour savoir qui se servira de la salle de bains en premier. Je suis dernière, mais ça ne me fait rien parce que je voulais écrire à mon cher journal.

Tout serait absolument parfait si seulement Joël était là. C'est la seule bonne chose qui manque dans notre vie, mais je suppose que ce ne serait pas très commode, si nous partagions tous la même chambre et la même salle de bains, et nous ne sommes même pas mariés. Au fond, ce serait peut-être plus gênant encore si nous l'étions, mais je ne veux pas penser à ça. Il n'y aura plus la moindre coucherie dans ma vie tant que je n'aurai pas épousé un homme pour le meilleur et pour le pire, jusqu'à ce que la mort nous sépare, et même alors je crois que nous resterons ensemble. Je ne peux vraiment pas imaginer qu'un Dieu de justice qui fait que deux êtres s'aiment les sépare ensuite quand ils sont au Ciel. Grand-papa et grand-maman, papa et maman ne pourraient jamais être heureux s'ils n'étaient pas ensemble. Je suis sûre que grand-maman est morte parce qu'elle ne pouvait pas supporter cette séparation. Elle n'était pas malade du tout, elle voulait simplement aller rejoindre grand-papa.

Je me demande si maman a jamais embrassé un autre homme que papa. S, sûrement, parce que papa la taquine souvent en lui parlant d'un certain Humphrey, mais je suis certaine qu'elle n'a jamais couché avec Humphrey. Je pense que les filles ne se conduisaient pas comme ça, du temps de maman et de grand-maman. Je crois que ce serait beaucoup plus facile de rester vierge, d'épouser quelqu'un et d'apprendre ensuite ce que c'est que l'amour sexuel. Je me demande comment ça se passera pour moi ? Ce sera peut-être formidable, parce que je suis pratiquement vierge puisque je n'ai jamais couché avec personne sauf quand j'étais défoncée et je suis sûre que sans drogue je serai terrifiée. J'espère vraiment que je pourrai oublier tout ce qui m'est arrivé quand je serai mariée avec quelqu'un que j'aime. Voilà une pensée bien agréable, non ? Coucher avec un homme qu'on aime.

C'est mon tour d'aller à la salle de bains, alors je te laisse.

À bientôt.

17 août.

Enfin, nous sommes installés. Papa commence ses cours aujourd'hui, et cet après-midi nous allons visiter la ville. Il faisait nuit quand nous sommes arrivés, mais ce quartier est incroyable, tout est vert, fleuri, tout embaume. Je suis bien heureuse que nous soyons ici. Nous sommes tous épuisés, cependant, parce que hier et la nuit d'avant, papa et maman se sont relayés au volant et nous ne nous sommes pas arrêtés. Deux jours et une nuit de route, c'est bien fatigant, et si c'était amusant et intéressant de voir du pays, nous sommes tous bien contents d'être enfin installés. Papa dit qu'au retour nous passerons peut-être par Chicago, et nous verrons Joël. Ce serait fantastique ! Je touche du bois et j'ai même peur de m'arrêter de toucher du bois pour écrire ou pour manger !

20 août.

Cher journal, tu me vois à un thé à l'université ?
Le plus extraordinaire, c'est que je ne me suis pas du
tout ennuyée ! Je dois devenir adulte.

À bientôt.

22 août.

Ma foi, il n'y aura plus d'explorations pour moi !
Hier, j'ai mis les pieds dans un grand parterre de lierre
vénéneux et je suis dans un état terrible ! Il n'y en a
pas beaucoup dans la région mais compte sur moi
pour en trouver !

Je suis toute bouffie et rouge et tout me démange
et j'ai les yeux fermés par mes paupières enflées et
j'ai vraiment une allure folle ! Le médecin est venu
me faire une piqûre mais il n'a pas l'air très encou-
rageant. Berk !

24 août.

Je ne savais pas que ce truc-là était contagieux,
mais à présent Alex est atteinte, elle a dû l'attraper
sur mes vêtements ou je ne sais quoi. Elle est moins
bouffie que moi mais ça la démange aussi. Des gens
de l'université sont venus pour demander où j'avais
marché dans ce lierre vénéneux pour aller l'arracher,
mais je ne sais même pas à quoi ressemble cette foutue plante.

27 août.

Youpi ! Nous allons à New York pour le week-
end ! Maman, Tim, Alex et moi, nous prenons le train
demain et nous ne serons pas de retour avant lundi.
C'est pas formidable ? Tous les magasins, les vitrines
et tout, comme je suis impatiente ! Mes plaques rouges sont devenues roses et je suis sûre que le fond de
teint pourra les cacher. Je l'espère, je l'espère ! Nous
prenons demain le train de 7 h 15, et papa m'a dit
que je pourrai m'acheter tout un tas de nouvelles
affaires pour l'école. Hourra ! Hourra !

29 août.

Il fait si chaud et humide et étouffant à Manhattan
que je n'en reviens pas. C'était parfait quand nous
étions dans les grands magasins climatisés, mais en
sortant, nous avions l'impression de pénétrer dans une
fournaise. La chaleur monte des trottoirs en gros nuages et je ne sais vraiment pas comment les gens qui
habitent ici peuvent le supporter. Joël dit qu'à Chicago c'est encore pire, mais j'ai du mal à le croire.
Enfin, nous avons passé presque toute la matinée à
faire des achats chez Bloomingdale, et puis nous sommes allés au cinéma de Radio City dans l'après-midi,
pour échapper à la chaleur.

Quand nous avons pris le métro, nous avons
commis la plus grosse erreur de notre vie. C'était tellement bondé que nous étions tassés comme de la
choucroute dans un bocal et ça sentait aussi mauvais.
Une grosse vieille femme à côté de moi se retenait à
la courroie et sa robe sans manches laissait voir un
incroyable nid d'oiseau sous son bras. C'est la chose

la plus nauséabonde que j'aie jamais vue. J'espère que Tim ne l'a pas vue, il en serait devenu pédéraste.

Demain, nous allons visiter le musée d'Art moderne et deux ou trois autres endroits. Je ne crois pas que nous resterons jusqu'à lundi, parce que maman est aussi mal à l'aise que nous.

2 septembre.

Nous n'irons pas à Chicago, finalement. Il y a un tas de changements à l'université et papa doit rentrer. Il m'a proposé de faire un détour et de passer par Chicago, parce qu'il me l'avait promis, mais je ne peux pas être aussi puérile, et d'ailleurs, je verrai Joël dans quelques semaines, et nous ne sommes pas fiancés ni rien. Je le regrette bien !

4 septembre.

C'est vraiment assommant de faire de la route toute la journée et presque toute la nuit. Papa a l'air complètement épuisé, et Alex s'énerve. J'aimerais bien pouvoir le relayer au volant mais papa dit qu'il n'en est pas question tant que je n'aurai pas mon permis, et j'entends bien l'avoir le plus vite possible.

6 septembre.

Enfin chez nous. Mon pauvre papa a dû aller tout de suite à l'université et je sais qu'il n'en peut plus. Si je suis aussi fatiguée à mon âge, je me demande comment il arrive à mettre un pied devant l'autre, au sien. Maman court partout dans la maison, heureuse comme un oiseau, mais je suppose que c'est parce qu'elle est enfin chez elle, CHEZ ELLE. À la maison. Ah ! que c'est bon ! La maison ! Quel mot merveilleux, divin, adorable !

Je commence même à me sentir en pleine forme. Il y a quelques heures à peine, nous pensions tous que nous allions mourir d'épuisement, mais, à présent, nous avons trouvé notre second souffle. Alex a couru chez Tricia pour chercher Honey et ses chatons, et Bonheur, et Tim a retrouvé son bricolage, et moi ma chambre que j'aime tant, tous mes livres, tous mes précieux souvenirs. Je ne sais pas ce que je vais faire d'abord, aller jouer sur mon piano tendrement aimé ou rester dans ma chambre avec un bon livre, sur mon canapé, ou faire une bonne sieste.

Je crois que la sieste s'impose.

7 septembre.

Aujourd'hui, j'ai rencontré Fawn au magasin et elle m'a invitée à venir la voir ce soir et nager dans sa piscine. C'est pas merveilleux ? Je vais peut-être pouvoir entrer dans la bande des gosses réguliers, cette année, et alors les camés cinglés n'oseront pas m'embêter. Ce serait parfait ! Fawn et ses sœurs font du ballet nautique et je ne nage pas très bien, mais elle a promis de m'apprendre. J'espère que je ne vais pas me noyer ni me fracasser le crâne en plongeant dans le petit bain.

10 septembre.

Je ne sais vraiment pas pourquoi je me sens toujours si mal à l'aise, si peu sûre de moi et effrayée. Il n'y a pas très longtemps que je connais Fawn et pourtant je suis presque jalouse de tous ses amis. Je les trouve plus beaux, plus intelligents et plus gentils et j'ai l'impression que personne n'a envie de me fréquenter, ce qui est plutôt stupide puisqu'ils m'invitent tout le temps. Je suis idiote, je crois. J'espère qu'aucun d'eux n'a entendu raconter tous les ragots odieux qu'on a colportés sur moi. Je ne sais pas à qui ces camés de Jan et de Marcie et toute cette bande ont parlé, mais j'espère que toute l'école n'a pas été au courant. Ah ! J'espère qu'on ne va pas encore me faire de mal ! Je me demande si toutes les filles sont aussi timides que moi. Si je pense qu'un garçon va m'inviter à sortir, je meurs de peur à l'idée qu'il ne m'invitera pas, et s'il me le demande, alors j'ai peur d'accepter.

Hier soir, par exemple, nous étions toutes dans la piscine et une bande de garçons est arrivée en voiture et le père de Fawn, qui est vraiment très chouette, leur a proposé d'entrer et de boire du punch. Alors nous avons tous rigolé un moment et puis on a arrosé les dalles de la terrasse et on a dansé sur le ciment mouillé. C'était très amusant, et je suppose que je devais avoir l'air assez drôle et jolie parce que Frank G. m'a demandé de sortir avec lui. En réalité, il voulait me raccompagner à la maison mais j'ai préféré rester pour aider Fawn à tout ranger. Mais je suppose que la vérité, c'est que je ne me sens plus à mon aise avec les garçons. Maman me dit que c'est parce que j'ai peur, que je ne me sens pas sûre de moi, et j'espère qu'elle a raison ! Oh ! je l'espère !

11 septembre.

Fawn m'a téléphoné ce matin à l'aube. Elle organise une partie vendredi prochain et elle veut inviter des garçons. Je vais chez elle cet après-midi pour l'aider à tout préparer, mais j'aimerais mieux ne pas me trouver dans ce coup-là. Wally l'a invitée ce soir, aussi, et elle va aller au cinéma avec lui. Ça m'ennuie un peu. Je ne sais pas pourquoi je me fais du souci pour elle, elle a quelques mois de plus que moi, mais je pense que les garçons sont à la base de tous nos problèmes. Des miens, en tout cas, mais je me trompe peut-être. Enfin ! Ce matin j'ai lu un article sur l'identité et la responsabilité, et on disait que les gosses qui n'ont pas le droit de prendre de décisions ne deviennent jamais adultes, et ceux qui sont forcés de prendre des décisions, alors qu'ils ne sont pas prêts, ne le deviennent pas non plus. Je ne crois pas que je fasse partie de l'une ou l'autre catégorie, mais c'est une idée intéressante.

À bientôt.

16 septembre.

Devine quoi ? Mrs F., mon vieux professeur de piano, a téléphoné et elle veut que je joue un solo à son audition ! Elle veut même organiser ça dans le petit amphithéâtre de l'université et elle va faire un tas de publicité et tout et elle voudrait avoir ma photo à moi sur la couverture du programme ! Naturellement, elle sait que j'ai eu les mains blessées, alors l'audition n'aura pas lieu avant un mois ou deux, mais c'est formidable ! Je ne savais pas que je jouais aussi bien ! Vraiment, très sincèrement, je ne m'en doutais pas !

Elle veut venir voir mes parents un de ces soirs, très bientôt, pour en discuter avec eux, mais j'avoue que je suis en plein ciel. Je ne peux pas y croire. Je fais mes gammes tous les jours, bien sûr, et mes exercices et, parfois, je m'assieds à mon piano et je joue pour m'amuser, s'il n'y a rien d'autre à faire, mais c'est surtout parce que la télé m'embête, surtout les programmes que Tim et Alex veulent voir, et je ne peux pas passer ma vie à lire. Je ne m'étais jamais doutée que je jouais aussi bien. Je me demande si les gosses ne vont pas me trouver idiote. Je n'ai pas du tout envie de les braquer contre moi, surtout à présent que je me fais des amis. Je crois que je vais demander conseil à Fawn, mais j'attendrai, je lui parlerai après sa soirée. Je sais qu'elle ne pense qu'à ça en ce moment.

P.-S. J'ai reçu une lettre absolument adorable de Joël et il a hâte de me revoir. Je ne lui ai pas dit que j'avais les mêmes sentiments, mais je suppose qu'il l'a deviné.

17 septembre.

Voilà que j'ai mes règles ! Et maintenant je me sens gênée, c'est trop bête ! Je me demande si maman serait furieuse si j'achetais des Tampax au lieu de ces vieux Kotex ? Elle serait fâchée, sans doute, alors je ferais mieux de ne pas courir ce risque, mais ça fiche vraiment tout en l'air pour demain soir. Oh ! au fond, ça n'a peut-être pas d'importance. Je pourrai toujours mettre mon nouveau pantalon écossais et mon chemisier neuf. Mais c'est vraiment assommant. Enfin, je n'y peux rien, alors autant en prendre mon parti. D'accord ?

'Soir.

18 septembre.

J'ai regardé le ciel ce matin et j'ai compris que l'été est presque fini et ça m'a rendue très triste parce qu'il me semble que je n'ai pas eu d'été du tout. Ah ! je voudrais qu'il ne soit pas fini ! Je ne veux pas vieillir. Je souffre d'une peur idiote, cher journal, je me vois vieille, sans jamais avoir été jeune. Je me demande comment ça peut m'arriver si vite, à moins que je n'aie déjà gâché ma vie. Tu crois que la vie peut passer sans qu'on s'en aperçoive ? Rien que d'y penser j'en ai des frissons !

(?)

Que je suis bête ! Demain c'est l'anniversaire de papa et je l'avais complètement oublié. Tim et maman projetaient une sortie, rien que pour la famille, mais j'étais tellement absorbée par Fawn et les autres gosses que je ne voulais pas m'occuper de tous ces détails, ce qui prouve que je suis vraiment complètement idiote. Enfin, il est trop tard pour m'en vouloir. Il va falloir simplement que je cherche quelque chose de sensass pour papa, pour surprendre tout le monde.

À bientôt.

Maman avait raison. J'étais complètement ridicule de me faire du souci au sujet de la soirée de Fawn. C'était formidable, épatant, très chouette ! Les parents de Fawn sont au poil et tous les gosses sont formidables. Jess K. sera le prochain président du conseil des étudiants, et Tess est la présidente pour les filles, et Judy et tout le monde. Quand je pense qu'il y a un an, je les prenais pour des caves, mais maintenant j'espère qu'ils vont me donner une seconde chance et ne pas me taper sur la tête.

Je pense que si j'étais vraiment adulte je me résignerais au fait qu'un jour ou l'autre quelqu'un va se mettre à parler de mon passé, qui me semble pourtant si lointain, et alors les parents de ces gosses si convenables leur diront qu'ils ne devraient pas me fréquenter, parce que je risque de détruire leur réputation. Et tous les gosses réguliers se demanderont ce que je suis, dans le fond, et s'ils apprennent que j'ai été enfermée dans un hôpital psychiatrique, je ne sais vraiment pas ce qu'ils vont penser ! On croirait qu'avec neuf cents gosses dans cette école je pourrais passer d'un groupe à l'autre et je le pourrais si on me laissait tranquille ! Mais je le peux, je le peux ! Faites que je le puisse, mon Dieu !

Je devrais peut-être dire franchement toute la vérité à Fawn et à ses parents. Crois-tu qu'ils comprendraient, cher journal, ou bien qu'ils seraient gênés et moi aussi ? Je sais que tôt ou tard il faudra bien que je parle à Fawn de l'hôpital. Elle m'a déjà demandé ce qui était arrivé à mes mains et j'ai honte de continuer à lui mentir. Je ne sais pas ce que je dois faire. Si seulement je connaissais quelqu'un qui pourrait me conseiller, je n'aurais pas besoin de rester là sur mon lit à t'embêter et moi aussi. Quelqu'un qui pourrait me dire fais ci ou fais ça. Je suis sûre que papa et maman ne comprennent pas et ne savent pas plus que moi ce que je devrais faire. Ils ont essayé d'étouffer l'affaire et je crois bien que leurs amis les plus intimes ne savent pas ce qui m'est arrivé. Pourquoi la vie est-elle si difficile ? Pourquoi ne pouvons-nous pas être simplement nous-même et que tout le monde nous accepte comme nous sommes ? Pourquoi est-ce que je ne peux pas être simplement *moi* comme je le suis maintenant, sans avoir besoin de me concentrer et de rouspéter et d'être troublée par mon passé et mon avenir ? Je suis folle à l'idée que demain je risque de croiser Jan ou Marcie, j'ai peur d'avoir toute la bande sur mon dos, parfois je voudrais ne pas être née.

Je me demande ce que penserait ce gentil Frank s'il savait ce que je suis et ce que j'ai fait ? Il ficherait le camp, probablement, comme un lièvre, ou bien il penserait immédiatement qu'il pourrait obtenir tout ce qu'il veut, et il ne voudrait qu'une seule chose !

J'aimerais tant pouvoir dormir. Tu ne trouves pas que c'est bizarre, que parfois le temps passe si vite qu'on ne peut pas le suivre, comme par exemple depuis deux ou trois semaines ? Les heures, les minutes, les jours et les semaines se fondent et passent comme un éclair. Aujourd'hui c'est l'anniversaire de papa, et demain c'est le mien. Il y a cent ans, j'aurais déjà été mariée, probablement, et j'aurais vécu à la campagne, dans une ferme, et j'aurais déjà des enfants. Je suppose que j'ai de la chance que les choses aillent moins vite de nos jours. Mais, quoi qu'il en soit, je dois essayer de me conduire en adulte !

Plus tard.

Cet après-midi, je suis sortie et j'ai acheté à papa un pull sans manches. Je suis sûre qu'il l'aimera, parce qu'il en a vu un presque pareil dans la vitrine de Mr Taylor, et il a dit que ce serait parfait pour le bureau quand il fait trop chaud pour garder sa veste. Il ne me reste plus qu'à finir mon poème, et au moins j'aurai enfin fait quelque chose de bien. Je me demande si la vie est aussi explosive et troublante pour les autres. J'espère bien que non, parce que je ne voudrais pas que les autres aient à vivre un tel pétrin.

Je me demande s'ils vont me souhaiter mon anniversaire ce soir en même temps que celui de papa ou s'ils vont organiser une fête demain ? Deux gâteaux d'anniversaire dans la même semaine, ça risque de rendre tout le monde malade.

Mon Dieu, un nouvel anniversaire ! Je me sens vieille, quand je pense que dans quelques années j'aurai vingt ans. Il me semble que c'était seulement hier que j'étais une enfant.

20 septembre.

J'avais à peine les yeux ouverts quand Frank a téléphoné pour m'inviter à sortir ce soir, mais je lui ai dit que je devais passer tout le week-end avec ma famille. Il a paru déçu mais j'ai l'impression qu'il m'a crue. Et puis d'abord une merveilleuse odeur de bacon monte de la cuisine et j'ai si faim que je mangerais mon édredon.

À bientôt.

P.-S.1. L'anniversaire de papa était au poil ! Nous étions tous si proches, si chaleureux, et nous nous sommes amusés comme des fous, mais je te raconterai tout ça plus tard.

P.-S. 2. Papa a adoré son pull et mon poème ! Je crois qu'il a surtout aimé le poème parce que je l'ai écrit pour lui. Il s'est même mouché en le lisant.

Plus tard.

Tout le monde est en bas, en train de comploter, et la maison est pleine d'odeurs merveilleuses qui mettent l'eau à la bouche et qui sont dignes de rois et de princesses exotiques. Je me demande ce qu'ils fabriquent. Maman, Tim et Alex ne veulent même pas me laisser aller dans le salon. Ils m'ont dit de monter en vitesse et de prendre un bain et de me coiffer et de ne pas descendre avant d'être devenue la plus belle créature du monde. Je ne vois pas comment ils espèrent que j'y arriverai, mais ça va m'amuser d'essayer.

Plus tard.

Tu ne devineras jamais, mais jamais, ce qui est arrivé ! Joël était là ! Je savais qu'il entrait à l'université plus tard à cause de son emploi mais... Non, je ne peux pas le croire ! Le vilain ! Il est ici depuis quatre jours, et il était dans le salon quand je suis rentrée cet après-midi avec mon vieux jean et le plus vieux sweat-shirt de papa couvert de peinture blanche. Quand je suis arrivée en traînant les pieds il a dit qu'il était tout prêt à retourner à Chicago en vitesse.

193

Dieu merci, je me suis vite changée, j'ai mis ma robe blanche et mes sandales neuves. Il ne voulait pas croire que j'étais la même personne. Tim et papa ont ri et ils m'ont taquinée en disant qu'ils avaient dû ligoter Joël sur sa chaise pour l'empêcher de s'enfuir quand il m'avait vue la première fois.

Nous avons passé une soirée merveilleusement drôle, drôle ; et je suis sûre qu'ils plaisantaient, je l'espère ! Mais quand Joël m'a vue il m'a embrassée sur la bouche, devant toute la famille, et il m'a serrée dans ses bras jusqu'à ce que je sente mes os craquer comme des pommes chips. C'était merveilleux, mais un peu gênant tout de même.

Ils ont projeté ça tout l'été et moi qui croyais que mon anniversaire ne serait fait que des restes de celui de papa, et au lieu de ça, j'ai eu le plus bel anniversaire de ma vie. Joël m'a donné une bague en émail couverte de petites fleurs et je la porterai jusqu'à ma mort. Je l'ai à mon doigt en ce moment et elle est vraiment ravissante. Papa et maman m'ont offert la veste de daim dont je rêvais et Tim une écharpe et Alex m'a fait de la nougatine de cacahuètes, que papa, Joël et Tim ont dévorée, pour se venger parce que j'avais mangé toute celle de papa à son anniversaire. Ma drôle de petite Alex fait la nougatine mieux que maman et moi, et elle le sait et elle refuse de dévoiler son secret, mais c'est peut-être simplement qu'elle est si douce et sa douceur déteint sur les cacahuètes.

Je n'ai pu être seule que dix minutes avec Joël, quand nous nous sommes assis sur le perron avant que papa le raccompagne chez lui, je ne sais pas où. J'ai même oublié de le lui demander, nous avions tant de choses à nous dire, mais je suis sûre que je lui plais et qu'il m'aime peut-être à sa façon tranquille, douce, tendre et définitive. Nous nous sommes tenus par la main pendant presque toute la soirée, mais ça ne signifie pas grand-chose, parce que Alex était pendue à son autre main et Tim essayait de le tirer pour lui montrer toutes les choses qu'il a collectionnées pendant les vacances.

Bon. Si je veux me lever à six heures pour étudier mon piano, je ferais mieux d'aller dormir. Et puis, d'ailleurs, je veux rêver à ma merveilleuse journée et à tous mes merveilleux lendemains.

21 septembre.

Je me suis réveillée avant que mon réveil sonne. Il n'est que cinq heures cinq, et je suis sûre que personne n'est encore levé dans le quartier, mais je suis tellement éveillée que je ne peux pas le supporter. Entre nous, je crois que je suis morte de peur à l'idée de retourner à l'école, mais au fond je sais que tout s'arrangera très bien, parce que j'ai Joël et mes nouveaux amis super réguliers, et ils m'aideront. Et puis, d'ailleurs, je suis beaucoup plus forte, maintenant. J'en suis sûre.

Je me disais toujours que lorsque j'aurais rempli toutes tes pages j'entamerais un autre cahier, et que je tiendrais un journal de ma vie. Mais je ne crois pas que je le ferai. Les journaux intimes, c'est très bien quand on est jeune. Je dois te dire que tu m'as sauvé la vie cent, mille, un million de fois. Tu m'as empêchée de devenir folle. Mais je pense que lorsqu'une personne devient plus âgée elle doit pouvoir discuter de ses problèmes et de ses pensées avec d'autres personnes, au lieu de se parler à elle-même ou à une partie d'elle-même comme toi. Tu ne le penses pas ? Si, je l'espère, car tu es mon plus cher ami et je te remercierai éternellement d'avoir partagé mes peines et mes larmes et mes luttes et mes malheurs ainsi que mes joies et mes bonheurs. Tout a été pour le mieux, je pense, d'une manière spéciale.

Salut, à bientôt.

ÉPILOGUE

L'auteur de ce journal est morte trois semaines après avoir pris la décision de ne plus en tenir un.

Ses parents sont rentrés un soir du cinéma et l'ont trouvée morte. Ils ont appelé la police, une ambulance, mais il n'y avait plus rien à faire.

Était-ce une dose trop forte ? Accidentelle ? Préméditée ? Personne ne le sait et cela n'a que peu d'importance, dans le fond. Ce qui importe, c'est que cette enfant est morte, et qu'elle n'est qu'une des cinquante mille victimes de la drogue qui succombèrent cette année-là.

Postface de l'éditeur

L'enfer de la drogue raconté par de très jeunes adolescentes : Alice, Christiane

Parmi les nombreux témoignages d'adolescents entraînés dans la spirale infernale de la drogue, celui d'une très jeune Allemande dans les années 1970 peut être mis en relation avec celui de l'auteur anonyme du journal transcrit de *L'Herbe bleue*.

Il s'agit de Christiane F. dont la pathétique déchéance est une mise en garde contre les ravages de la drogue et de la prostitution.

Moi, Christiane F., 13 ans, droguée, prostituée se présente comme une sorte de journal qui rassemble les témoignages sans concession d'une adolescente et de sa mère [1]. L'histoire se déroule en Allemagne, dans les années 1975-1978, mais, à la différence de celle de *L'Herbe bleue*, elle s'achève sur une note optimiste : malgré les difficultés, Christiane réussit, avec l'aide de sa mère et de sa grand-mère, à se libérer de la drogue. Voici de brefs extraits de son témoignage :

« J'ai eu le temps de réfléchir. Ma première crise de manque. Me voilà dépendante. De l'héroïne et de Detlev. Ce qui m'effraie le plus c'est de dépendre de

---

1. Témoignages recueillis par Kai Kermann et Horst Rieck, édition française : Gallimard, Folio, n° 1443.

Detlev. Qu'est-ce qu'un amour où l'on dépend totalement de l'autre ? Que va-t-il se passer si je suis obligée de supplier Detlev qu'il me donne un peu de drogue ? J'ai déjà vu des *fixers* en crise de manque, je les ai vus mendier, s'abaisser, prêts à subir toutes les humiliations. Moi, je n'ai jamais su demander. Et je ne vais pas commencer avec Detlev. Surtout pas. S'il me laisse le supplier, ça sera fini, nous deux. »

« Enfin, un beau jour de mai 1977, ma pauvre cervelle finit par réaliser qu'il ne me reste que deux solutions : ou l'overdose à bref délai, ou une désintoxication sérieuse. C'est à moi seule de décider. Je ne peux plus compter sur Detlev, et je ne veux surtout pas le rendre responsable de ma décision. Je vais à la cité Gropius. À la Maison du Milieu, ce centre de jeunes dirigé par un pasteur, là où ma carrière de toxico a commencé. Le club est fermé. Complètement débordés par le problème de l'héroïne, ils ont dû le remplacer par un centre antidrogue.

« Un centre antidrogue rien que pour la cité Gropius, tellement l'héroïne fait des ravages depuis que la drogue a fait son apparition dans le coin, il y a deux ans. Ils me disent ce que je sais déjà, et de longue date, ma seule chance, c'est une bonne thérapie. (...) Je ne suis pas très rassurée. D'après ce qu'on raconte, ces thérapies sont vachement dures. Les premiers mois, c'est pire que la prison. (...) Leurs conditions d'admission sont draconiennes : il faut être en bon état physique et leur prouver, par une autodiscipline librement consentie, qu'on a la force de décrocher. La conseillère dit aussi qu'à mon âge – à peine quinze ans, je suis encore presqu'une enfant – j'aurai beaucoup de mal à faire ce qu'ils demandent. En fait, on n'a pas encore de thérapie pour les enfants. »

Les drogues

Une drogue est une substance **psychotrope** (du grec « esprit » + « façon de tourner ») susceptible de modifier le fonctionnement normal du cerveau. On a répertorié quelque 150 substances psychotropes qui sont soit des produits illicites (cannabis, cocaïne, etc.), soit des produits licites comme les médicaments, l'alcool et le tabac.

Les drogues proprement dites peuvent être d'origine naturelle, issues de plantes à drogues cultivées (pavot, cannabis, coca, etc.) ou bien spontanées (divers champignons et plantes hallucinogènes), ou encore d'origine synthétique, produites entièrement en laboratoire (L.S.D.).

Depuis l'Antiquité, on connaît l'usage des plantes psychotropes (chanvre, pavot) ou de leurs produits (haschisch, opium).

À partir du XVIIIe siècle, on a commencé à extraire grossièrement leurs principes actifs, les alcaloïdes, avant d'être en mesure, au siècle suivant, de les purifier, puis de les reproduire en laboratoire. Enfin, des drogues de synthèse mimant plus ou moins les substances naturelles ont été élaborées au début du XXe siècle.

De nos jours, les drogues constituent un grave problème de société, tant au plan de la santé publique qu'au plan économique et judiciaire.

Cannabis ou chanvre indien

Plante d'où sont tirés divers produits psychotropes, fumés par le consommateur : *marijuana, haschisch, kif.*

Cocaïne (abréviation familière *coco* ou *coke*)

La cocaïne est un alcaloïde extrait des feuilles de l'arbre à coca (nom savant : *Erythroxylum Coca*), une variété d'arbuste qui pousse en Amérique latine, tout le long de la Cordillère des Andes, surtout en Colombie et au Pérou, mais également au Brésil, dans la vallée de l'Amazonie.

Les feuilles de cocaïne sont mâchées, la poudre est « sniffée », la pâte peut être fumée, mais c'est l'utilisation du **crack** (chlorhydrate de cocaïne précipité à chaud en présence de bicarbonate de soude) qui est la plus répandue chez les toxicomanes : le nom de *crack* (caillou) vient du bruit produit par le précipité (petits agrégats solides) lorsqu'il est chauffé pour être inhalé.

La cocaïne est un euphorisant et un excitant qui entraîne une forte dépendance ; elle peut provoquer des accidents graves (crises d'épilepsie, convulsions, troubles cardiaques, atteintes du foie, des reins, des poumons).

Haschisch ou résine (abréviation familière *hasch* ; vulgaire : *shit* ou *merde*)

C'est un conglomérat de poudre de feuilles et de résine de chanvre indien.

Le haschisch est un euphorisant à faible dose, hallucinogène à forte dose.

Le premier effet est celui de l'extase (repos et béatitude) et de l'exaltation, stimulation de l'humeur, levée des inhibitions, exacerbation des sensations et des émotions (acuité de la perception pour les sons et pour les couleurs) ; le second s'accompagne d'hallucinations, d'une distorsion de la notion du temps et de l'espace.

Héroïne

L'héroïne est un dérivé de la morphine, l'alcaloïde contenu dans l'opium.

Couramment appelée *horse* (cheval), elle peut se présenter sous forme de granulés brun-gris (qualité n° 3 ou *brown sugar*, sucre brun), ou sous forme d'une poudre blanche (la qualité dite n° 4) souvent d'origine asiatique ; des variantes brunes ou beiges existent également.

L'héroïne n'est jamais un produit pur à 100 % : elle peut être préparée de diverses façons à partir d'opium, de morphine purifiée ou semi-purifiée. L'héroïne dite « de rue » contient, en fonction des pays, entre 5 et 25 % de produit pur. Elle est « coupée » par mélange à la caféine, à la diphenhydramine, à la quinine, à la procaïne, mais aussi au talc, à la strychnine, au mannitol, au lactose, au dextrose, au plâtre. Le pourcentage variable de produit pur et les produits de coupage sont responsables de nombreux accidents.

L'héroïne a été synthétisée parmi d'autres dérivés acétylés de la morphine par C.R. Wright en 1874 à Londres. La production d'héroïne plus pure a été réalisée en 1898 par Dreser, et les effets sur la toux et le sommeil ayant été décrits la même année par Strube, la société Bayer en commença aussitôt la production commerciale. Il semble que la première utilisation par voie intraveineuse date des années 1920.

L'héroïne réapparut dans les années 1960-1970 avec la guerre du Vietnam, et, depuis, l'usage s'est répandu dans de très nombreux pays, lié à la compétition avec le marché de la cocaïne. L'héroïne détient le triste record du nombre de décès par overdose.

Kif

Mot arabe venu d'Afrique du Nord, équivalent de *joint*.

Désigne un mélange de tabac et de chanvre indien.

L.S.D. ou **acide**

Hallucinogène puissant, il agit sur les connexions entre les neurones qui régulent les fonctions psychiques et intellectuelles. Il lève toutes les inhibitions, génère détachement et euphorie, perturbe les notions spatio-temporelles, intensifie la vision, entraîne des modifications sensorielles importantes, conduit à une inversion des sensations (phénomène de la synesthésie : les couleurs sont « entendues », les sons sont « visualisés »), provoque des hallucinations, des fous rires incontrôlables, des troubles et des délires mystiques. Ces effets, mentalement surpuissants, sont très variables selon les individus et ont une durée de 5 à 12 heures.

L'usage du L.S.D. peut provoquer des accidents psychiatriques durables. La « redescente » est souvent très éprouvante et laisse la place à une période dépressive : l'utilisateur se retrouve alors dans un grave état confusionnel accompagné de perturbations de l'humeur, d'angoisses, de crises de panique, de paranoïa schizophrène, de phobies, de bouffées délirantes, ou d'insomnie, avec la sensation de perdre définitivement la raison. Ces troubles peuvent laisser des séquelles psychiques graves.

À forte dose ou chez des sujets prédisposés, le L.S.D. induit des illusions délirantes dangereuses (notamment lorsque le sujet imagine pouvoir voler), pouvant conduire à des actes suicidaires ou criminels.

Marijuana (« marijeanne » en espagnol) ou **herbe**
Mélange des feuilles et des extrémités fleuries de chanvre indien.

MDMA ou **ecstasy** (« extase, ravissement, transport de joie » en anglais)
La MDMA (méthylène-dioxy-méthamphétamine) est l'amphétamine psychédélique » par excellence : baptisée au début des années 1980 « pilule de l'amour », elle s'est surtout popularisée ces vingt dernières années en raison de ses effets puissants. Elle se présente sous forme de comprimés ou cachets de couleurs variées, à consommer par voie orale, parfois sous forme de capsules, de gélules ou de poudre.

La quantité de MDMA (substance active) varie de 9 à 117 mg par comprimé. D'autres drogues peuvent y être associées : cocaïne, antidépresseurs, amphétamines, L.S.D.

Pure ou non, la MDMA peut entraîner des lésions au niveau des cellules cérébrales, des accidents cardiaques, des nausées, des crises de panique, des dépressions, des paranoïas.

À forte dose, elle provoque des effets hallucinogènes analogues à ceux du L.S.D., et des convulsions pouvant entraîner la mort.

Fabriqué en Europe (dans des laboratoires clandestins) pour le monde entier, l'ecstasy est un excitant dont l'effet dure de cinq à six heures ; il est aussi appelé « ecsta », « cadillac », « sucette ».

Opium
C'est un suc visqueux (latex) obtenu par scarification (incision) des capsules vertes du pavot (une plante proche du coquelicot dont le nom savant est *Papaver Somniferum*).

Le rendement des cultures de pavot permet d'obtenir, dans des régions humides et ensoleillées, environ 10 kg d'opium par hectare, au minimum. Le cycle complet, de la semence à la récolte de l'opium, prend environ trois mois.

L'opium contient une vingtaine d'alcaloïdes (substances organiques basiques), dont le plus actif est la **morphine**. Il peut être fumé ou utilisé par voie orale.

Space Cakes

Petits gâteaux (type petits-fours, gâteaux secs ou autres) dans lesquels on a introduit du haschisch, de la marijuana ou du L.S.D.

L.S.D. et cannabis : les drogues de *L'Herbe bleue*

La jeune adolescente qui rédige son journal intime confie à plusieurs reprises qu'elle a essayé presque toutes les drogues, mais elle consomme surtout du L.S.D., très répandu dans la jeunesse américaine à la fin des années 1960, et de l'« herbe » – *haschisch* ou *marijuana* tirés du cannabis –, d'où le titre français de l'ouvrage.

Le titre original de *L'Herbe bleue* – *Go ask Alice* – renvoie très précisément à une chanson du groupe américain Jefferson Airplane, qui a fait ses débuts en 1966 comme formation pop-folk-rock et s'affirme très vite comme la voix « planante » du mouvement hippie. Il est composé du guitariste de blues Jorma Kaukonen, du bassiste Jack Cassidy, du batteur Spencer Dryden, et de trois chanteurs : Marty Balin, Paul Kantner et l'ancien mannequin Grace Slick.

En 1967, le deuxième album de Jefferson Airplane, intitulé *Surrealistic Pillow* (Oreiller surréaliste), est considéré comme « le plus grand album de l'époque psychédélique » : il contient des textes poétiques et mystiques évoquant l'amour libre, l'engagement social et les substances hallucinogènes, comme la chanson *White Rabbit*, dans laquelle se trouve l'expression *Go ask Alice*.

Écrites par Grace Slick, les paroles transcrivent les sensations et impressions éprouvées sous l'effet du L.S.D. : ouverture des portes d'un autre monde, à l'image de celui de la petite Alice de Lewis Carroll, entrée au pays des merveilles sur les pas d'un étrange « lapin blanc », devenu l'image symbolique et mythique de tous les « voyages » hallucinatoires (*trips*) provoqués par la drogue.

« C'est un monde entièrement nouveau que j'explore et tu n'imagines pas le nombre de portes qui s'ouvrent devant moi. Je me fais l'effet d'Alice au Pays des Merveilles. Lewis Carroll était peut-être bien drogué ! » note dans son journal à la date du 14 juillet (premier cahier) celle que l'on pourrait appeler Alice.

La génération *Peace and Love* (Paix et Amour) de la fin des « sixties » (années 1960) a incarné ses aspirations vers un « nouveau monde » dans la musique « planante » de groupes « psychédéliques » devenus des références mythiques. On sait que *L'Herbe bleue* fait directement référence à Jefferson Airplane ; à la même période, le groupe anglais Pink Floyd, dont la musique expérimente le mélange lumière/son de manière originale, s'impose à Londres. Son succès déchaîne des foules de plus en plus nombreuses.

Syd Barrett, fondateur des Pink Floyd, considéré comme le créateur légendaire du rock psychédélique britannique, devait quitter le groupe dès 1968 à cause de graves problèmes psychiatriques dus à la consommation de L.S.D. (*pink floyd* est un des noms donnés à cette drogue).

En 1969, les Pink Floyd (Nick Mason, Roger Waters, Rick Wright et Dave Gilmour) trouvent une consécration mondiale avec le film *More*, réalisé par Barbet Schroeder, dont ils ont composé et interprété la bande-son.

Élevé au rang de « film-culte » sur la drogue, *More* est la mise en images d'une expérience de mirages, finalement vouée au désespoir : Stefan, étudiant allemand fraîchement diplômé (interprété par Klaus Grunberg), décide de partir en quête de lui-même en s'adonnant à tous les excès du plaisir. Il vient en stop à Paris pour dépasser ses limites, aller vers *more*

(« plus ») dans le domaine du sexe et de la drogue. Il tombe amoureux d'Estelle (Mimsy Farmer), jeune Américaine « accro » à l'héroïne, la suit jusqu'à l'île mythique d'Ibiza aux Baléares et tombe peu à peu dans la spirale infernale de la dépendance. De moments d'extase en *bad trips* (« mauvais voyages »), Stefan vit une véritable descente aux enfers : les rechutes, l'autodestruction, la plongée dans la délinquance conduisent les personnages à un drame final inéluctable...

Dans la collection

Impression réalisée sur Presse Offset par

BRODARD & TAUPIN

GROUPE CPI

La Flèche (Sarthe), le 03-06-2003
N° d'impression : 17720

Dépôt légal : juin 2003

Imprimé en France

12, avenue d'Italie • 75627 PARIS Cedex 13

Tél. : 01.44.16.05.00